JN086633

# 50年後の
# 地球と宇宙の
# こわい話

KANZEN

# はじめに

みなさんは「こわい話」と聞いて何を思いうかべますか？
ほとんどの場合はゆうれいやかいぶつが登場する話を考えると思いますが、本書ではそういったものはいっさい登場しません。そのかわり、「こわい話」であることに変わりはありません。

1章の地球編では、「身近に起こりつつあるもののこわさ」を中心にしょうかいします。「巨大地震が起きたらどうなる？」「近い将来、水が足りなくなるかもしれない」など、ちょっと読んだだけでは感じないかもしれませんが、よく考えるとこわくなる話ばかりです。

2章の宇宙編では、みなさんがまだ行ったことのない宇宙のこわい話をしょうかいします。ほとんどの人がまだ行ったことのない宇宙には、実はまだよくわかっていないことがいっぱいあるんです。もちろん、こちらにもゆうれいやかいぶつは出てきません。ですが、「よくわからないもの」「計り知れないもの」は、想像以上にこわいものです。

もしよかったら、この本を読んだあと、ちょっとだけ考える時間をつくってみてください。特に地球編は宇宙編とちがって、近い未来に起こる可能性が高いものばかりです。ひょっとしたら、その時間がこわい話を「こわくない」話にしてくれるかもしれません。

## ダイチ (10歳)

虫とりとゲームが好きな小学4年生の男の子。お調子者で勉強が苦手。こわい話が大好き。

## ホシミ (10歳)

おしゃれとスイーツが大好きな小学4年生の女の子。実は星座や宇宙の話に興味がある。

## ミライ・カタール・オーシエール

ワガハイのこわい話を聞くのだ〜

未来から地球の危機を知らせにやってきた未来人。ダイチとホシミにこわい話を教える。

# もくじ CONTENTS

# 第1章

# 地球 編

こわい話は身近にあふれているのだ!

# ギャー 地球編

## ★1
## 6度目の「大絶滅」で
## 人類も絶滅するかもしれない

## 6度目の「大絶滅」は
## 人間が原因で起こる？

私たち人間は地球上の多くの生き物から、食べ物だけでなく、水や空気、衣服、住居などの材料を得て生活しています。もし、この地球上に人間だけが残されたら、果たしてどうなるでしょう。考える必要がありそうです。

# 私たち「人間」が引き起こす大絶滅

　ある特定の生き物（生物種）が地球上からいなくなってしまうことを「絶滅」と言います。また、280万年の間に75%以上の生物種が絶滅することを「大絶滅」と言います。実は、これまで地球は5回の大絶滅を経験しているのです。

　地球に生命（細胞）が誕生してから約35億年が経っていますが、①オルドビス紀末（4億4500万年前／氷河期の到来）、②デボン紀後期（3億7000万年前／森林の誕生）、③ペルム紀末（2億5200万年前／大規模な火山噴火）、④三畳紀末（2億100万年前／大規模な火山噴火）、⑤白亜紀末（6600万年前／巨大隕石のしょうとつ）に大絶滅が起きて、生き物のほとんどがいなくなったことがあります。一番最後の白亜紀末の大絶滅で、全盛を極めたきょうりゅうが絶滅してしまったことを知っている人も多いのではないでしょうか。

　そして現在、なんと「人間が地球に6度目の大絶滅を引き起こしつつあるかもしれない」と考えられています。私たちは地球上の多くの生き物から、食べ物、水、空気、衣服、住居などの材料を得て生活しています。この地球上に、人間と、人間が飼育する家畜、人間がさいばいする農作物だけになったとしたら、はたして私たちは生きていけるのでしょうか。大絶滅は、私たち人間自身の絶滅を引き起こすかもしれないのです。人間と地球上の多くの生き物が絶滅しないためにはどうすればいいのか——そのために世界の国々が決めた約束を「持続可能な開発目標（SDGs）」と呼びます。

人間が原因で地球が絶滅するの？

# ギャー 地 球 編（へん）

## ★2

# コロナだけじゃない！
# パンデミックがまた起（お）こる！？

## 身近（みぢか）で小（ちい）さいけど
## 実（じつ）は危険（きけん）な生（い）き物（もの）？

世界（せかい）で最（もっと）も人（ひと）を殺（ころ）している生物（せいぶつ）は昆虫（こんちゅう）の「蚊（か）」です。蚊（か）が媒介（ばいかい）するデング熱（ねつ）は、毎年（まいとし）世界（せかい）で約（やく）3億（おく）9000万人（まんにん）が感染（かんせん）し、そのうち約（やく）2万人（まんにん）が命（いのち）を落（お）としています。2023年（ねん）の世界（せかい）での感染（かんせん）者（しゃ）は、前年（ぜんねん）と比（くら）べて28％増加（ぞうか）しています。（※）

# 短期間で世界中に感染が広まる!?

2020年、世界中を大混乱させた新型コロナウイルス感染症（COVID-19）。厚生労働省が最後に発表した世界の感染状況（2023年4月時点）は、累積感染者数が約7億6367万人、累積感死亡数は約691万人という、とてもおそろしいパンデミック（世界的大流行）でした。

コロナ禍ではさまざまな行動が制限されることとなりました。運動会や修学旅行などの行事を中止する学校が相次ぎ、くやしい思い、悲しい思いをした人も多かったことでしょう。2024年を迎えた現在も感染は確認されているものの、かつての日常が少しずつもどろうとしています。ところが、今後は新型コロナのような「パンデミックが起こりやすくなる」という予測も出ています。

その理由は、なんといっても交通機関の発達です。14世紀にヨーロッパで大流行したペストや、20世紀初頭に大流行したスペインかぜなど、過去にもパンデミックは何度も起こりました。ただし、今よりも交通機関が発達していなかったため、世界へと感染が広まるまでに何カ月も何年もの期間がかかりました。しかし現在は、飛行機を使えばわずか1日で地球の裏側まで移動することができます。ひとたび感染力の強い伝染病が発生すれば、十分な対策を練るよゆうもないほど、短期間で世界中に広まってしまう交通網が整っているのです。

新型コロナの大流行を教訓に、パンデミックを最小限におさえる取り組みが求められています。

※ 出典：WHO、厚生労働省

第1章
地球編

新型コロナの経験が生きてくるね！

# ギャー地球 <ruby>編<rt>へん</rt></ruby>

★ 3

# いつ起こるかわからないが <ruby>巨<rt>きょ</rt></ruby><ruby>大<rt>だい</rt></ruby><ruby>地<rt>じ</rt></ruby><ruby>震<rt>しん</rt></ruby>が<ruby>必<rt>かなら</rt></ruby>ず<ruby>起<rt>お</rt></ruby>こる!

## <ruby>専<rt>せん</rt></ruby><ruby>門<rt>もん</rt></ruby><ruby>家<rt>か</rt></ruby>さえ<ruby>予<rt>よ</rt></ruby><ruby>測<rt>そく</rt></ruby>できないから ふだんからの<ruby>準<rt>じゅん</rt></ruby><ruby>備<rt>び</rt></ruby>が<ruby>大<rt>たい</rt></ruby><ruby>切<rt>せつ</rt></ruby>

<ruby>地<rt>じ</rt></ruby><ruby>震<rt>しん</rt></ruby>を<ruby>防<rt>ふせ</rt></ruby>ぐことはできません。だからこそ、<ruby>日<rt>ひ</rt></ruby>ごろから<ruby>地<rt>じ</rt></ruby><ruby>震<rt>しん</rt></ruby>に<ruby>備<rt>そな</rt></ruby>えておくことが<ruby>大<rt>たい</rt></ruby><ruby>切<rt>せつ</rt></ruby>です。<ruby>食<rt>しょく</rt></ruby><ruby>料<rt>りょう</rt></ruby>などの<ruby>備<rt>そ</rt></ruby><ruby>蓄<rt>ひ</rt></ruby><ruby>品<rt>ひん</rt></ruby>や<ruby>避<rt>ひ</rt></ruby><ruby>難<rt>なん</rt></ruby><ruby>時<rt>じ</rt></ruby>の<ruby>非<rt>ひ</rt></ruby><ruby>常<rt>じょう</rt></ruby><ruby>持<rt>も</rt></ruby>ち<ruby>出<rt>だ</rt></ruby>し<ruby>品<rt>ひん</rt></ruby>などをちゃんと<ruby>用<rt>よう</rt></ruby><ruby>意<rt>い</rt></ruby>できているかどうか、<ruby>家<rt>か</rt></ruby><ruby>族<rt>ぞく</rt></ruby>に<ruby>確<rt>かく</rt></ruby><ruby>認<rt>にん</rt></ruby>してみましょう。

# 日本で地震が多い理由は4つのプレート

しばしば「地震大国」と呼ばれる日本。2024年1月1日、最大震度7を観測した能登半島地震はきおくに新しいところです。

それにしても、なぜ日本は地震が多いのでしょうか。そもそも地球は、10数枚のプレートという巨大な岩盤でおおわれています。プレートは年間数cmのスピードで移動し、プレート同士がぶつかったり、海側のプレート（海洋プレート）が陸側のプレート（大陸プレート）の下にもぐりこんだりと、さまざまな動きをしています。

海洋プレートが下にもぐりこむとき、上にある大陸プレートのはしを引きずりこみます。しかし、大陸プレートにはもとにもどろうとする力が働き、勢いよくもどったときに地震が起こります。この地震を「プレート境界地震」といいます。また、海洋プレートにおされた大陸プレートは、プレート内部で強い圧力を受けます。この圧力で岩盤の弱い部分がこわれてずれが起こることでも地震が発生し、こちらは「直下型地震」といいます。実は日本は、4枚のプレートが集まった場所にあります。このため、地震が発生しやすいのです。

プレート境界地震や震源の浅い場所で起こる直下型地震は、巨大地震となって大きな被害が出ることがあります。残念ながら、地震を防ぐ方法や地震の時期を正確に予測する技術は現代にはありません。いつ巨大地震が起こるかわからないけど、必ず巨大地震が起こる——そんな場所にあるのが日本という国なのです。

第1章 地球編

地震ってプレートが原因なんだな！

# ギ★☆ 地球 編（へん）

## ★4
# 大規模噴火で都市機能が
# まひしてしまうかも？

## あの富士山（ふじさん）だって
## 噴火（ふんか）したことがある！

過去（かこ）1万年（まんねん）以内（いない）に噴火（ふんか）した火山（かざん）や、現在（げんざい）も活発（かっぱつ）に活動（かつどう）する火山（かざん）を「活火山（かっかざん）」と呼（よ）びます。日本（にほん）には111の活火山（かっかざん）があり（※1）、世界（せかい）の活火山（かっかざん）の約（やく）10%（※2）をしめています。最近（さいきん）では2014年（ねん）の御嶽山（おんたけさん）の噴火（ふんか）がニュースになりました。

# 命の危機以外にもさまざまな不具合が

日本は世界有数の温泉文化を持つ国です。全国の温泉地（温泉が利用できる宿泊施設がある場所）の数は約2900カ所、温泉が利用できる公衆浴場は約7800カ所もあります。

日本に温泉が多い理由は、火山が多いからです。火山とは、地下にたまったマグマがふき出してできた山のことで、マグマの熱やガスによって温められた地下水が温泉なのです。

温泉好きにとってはありがたい火山ですが、噴火の危険性を忘れてはいけません。1991年には雲仙岳（長崎県）の噴火で発生した火砕流（高温の火山灰・軽石などが流れ出したもの）で43人の死者・行方不明者を出し、2014年には御嶽山（長野県・岐阜県）の噴火による噴石（火口から飛び出す石）で63人の死者・行方不明者が出ました。

また、噴火による火山灰は農作物に悪いえいきょうを与え、正常に育たなかったり、枯れたりして収穫できなくなってしまいます。1707年に起きた富士山の噴火（宝永大噴火）では、約2週間にわたって噴火が続き、100km以上もはなれた江戸（現在の東京）の街に10cmもの火山灰が積もったそうです。

噴火活動が活発な桜島（鹿児島県）では、道路に積もった灰を片付ける清掃車が出動しますが、ほかの地域では噴火による火山灰にすぐに対応できません。もしも大規模な噴火が各地の都市部で起これば、都市機能がまひして不便な生活がさけられなくなるのです。

※1 出典：内閣府
※2 出典：VOLCANO DISCOVERY

第1章 地球編

温泉は好きだけど噴火はやだな〜

## ⑤

# 戦争や暴力がなくならず
# 今も命を落とす人がいる

## 今も世界のどこかで
## 戦争や紛争が起きている

ロシアがウクライナへしんこうしたニュースはテレビで流され
ましたが、ニュースで放送されない戦争や紛争は世界中で起き
ています。それらは時に多くの人の命を奪い、その中には子ど
もがふくまれることもあります。

# 紛争の平和的解決はとても難しい

2022年2月24日、ロシアがウクライナへと軍事しんこうをはじめました。両国の戦いは2年がたった現在も続いています。どちらの政府も自国の戦死者数を公表していませんが、「両国合わせて50万人以上が命を落としている」と報じるメディア(※1)もあります。

戦争や内戦などの紛争は、多くの死傷者を出すだけでなく、自然をこわしたりCO2を排出したりと、環境面にも大きなダメージをあたえます。しかも、ロシアは5000発以上の核弾頭を持つ世界一の核兵器保有国(※2)です。第二次世界大戦で広島と長崎に投下された原子爆弾は、たった2発で50万人以上（後遺症も含む）の命をうばいました。もしもロシアが核兵器を使えば、より多くの死傷者と環境負荷が出てしまいます。

ほかにも、イスラエルとパレスチナ、シリアの内戦など、世界にはいくつもの未解決の紛争があります。対立する理由は、宗教のちがいや民族・文化のちがいなどさまざまですが、根深い問題が多く、平和的な解決へと向かわせることは非常に困難です。

一方、個人間で発生する暴力では、弱者である子どもを対象としたケースが深刻です。国連機関のユニセフによれば「5分に一人」のペースで、暴力によって子どもが命を落としているそうです。また、世界の5さい未満の子どものうち、4人に一人が出生登録されていません。法的には「存在しない子ども」となり、予防接種や事件に巻きこまれたときの裁判など、受けられるべきサービスが受けられないのです。

※1 出典：ニューヨーク・タイムズ
※2 出典：BBC

理由はどうあれ戦争はダメだぞ！

## ★6

# 化石燃料を使い続けて
# 地球温暖化が止まらない

## 原子力発電にも
## たよらない未来へ

原子力発電はCO2が出ません。ただし、使用済み燃料の放射性
廃棄物は、人体にえいきょうがないレベルに弱まるまで10万年
という気の遠くなる期間がかかります。保管場所も限られるため、
化石燃料にも原子力にもたよらないエネルギー源が必要です。

# 温暖化の原因は温室効果ガス

18世紀半ばから19世紀にかけてヨーロッパで起きた産業革命。生産技術が急激に進歩しましたが、それと同時に「地球温暖化」というさまざまな環境問題の原因となる状況を引き起こしました。

地球の平均気温は、産業革命以前に比べて1.4度以上も上昇しています。地球をはめつに追いこむような気候変動をさけるため、COP（国連気候変動枠組条約締約会議）という会議では「気温上昇を1.5度におさえる」という目標が定められました。ところが、2023年の世界気温は、ついに産業革命以前から1.52度を上回ってしまいました。

温暖化の原因は「温室効果ガス」と呼ばれる気体で、代表的なものは二酸化炭素（$CO_2$）です。$CO_2$には、地上から出る熱を大気中に保つ働きがあり、$CO_2$が増えると温暖化が進んでしまうのです。$CO_2$は、石油や石炭などの化石燃料を燃やすと大量発生します。このため、いま各国で石油燃料を減らすための努力が求められています。

$CO_2$を出さない燃料は、太陽光や風力、水力などの「再生可能エネルギー」です。しかし、残念ながら再生可能エネルギーへの切りかえは思うように進んでいません。全世界の発電所のエネルギー源は、約80％が化石燃料で、日本も約72％を化石燃料による火力発電にたよっています。このままでは、$CO_2$を減らすことができず、地球の温暖化が進む一方なのです。

## 地球温暖化はいろいろな悪えいきょうをおよぼす

### 気候や温度の変化から生態系にも危機がおよぶ

気温が上昇すると、大雨による洪水や干ばつが起こり、さまざまな動植物の生態系にも悪えいきょうをおよぼします。農作物の収穫もへり、絶滅する動物が増えます。

# ⑦ 永久凍土が解けると さらに温暖化が進む！

## 北極にある氷の下から メタンが発生するかも？

温暖化のえいきょうで、北極圏にある永久凍土がとけ出しています。そこには大昔の植物や動物たちの死体がねむっており、それらが姿を現す可能性が考えられます。それが原因となって、メタンが大量に発生するかもしれません。

# 永久凍土にねむる大量のメタン

温室効果ガスはCO2だけではありません。メタンは、CO2よりも温暖化のえいきょうが高い気体です。2021年度の日本の温室効果ガスの総排出量は、11億7000万トンでした。そのうち、CO2がしめる割合は90.9％と圧倒的です。メタンはわずか2.3％ですが、実はメタンの温室効果はCO2の約25倍。CO2だけでなく、メタンの排出量を減らす取り組みが必要なのです。

炭素をふくむ化合物を有機物と言いますが、この有機物がび生物によって発酵されるときにメタンが発生します。具体的には、天然ガスをほり出すときや、廃棄物、動物の死体、ウシなど家畜のゲップなどから発生します。ウシのゲップにもメタンがふくまれているとはおどろきですが、ウシの胃の中にはメタンを発生させるび生物がいます。世界で飼育されているウシは15億頭以上で、家畜のゲップにふくまれるメタンは、なんと世界全体の温室効果ガスの4％をしめています。このため、ウシがゲップを出しにくくするため、消化の良いえさの開発が進められているほどです。

しかし、こうした取り組みがむだに終わってしまう可能性があります。というのも、北半球の永久凍土（ツンドラ）には大昔の植物や動物の死体があり、およそ1兆7000億トンの炭素が閉じこめられているからです。（※）温暖化で永久凍土がとけ出すとメタンが大量発生し、さらなる温暖化を招くというあくじゅんかんが生まれる危険性があるのです。

※ 出典：AFP

パパのゲップも温暖化に影響あるかな？

# ⑧ 海面上昇で
# 海にしずむ国が出てくる!?

写真：Robert Harding/アフロ

## しずんでしまう島は
## ツバルだけじゃない

南太平洋に位置する小さな島国ツバルは、最大標高が4〜6m（※）ほどのため、地球温暖化による海面上昇によって海にしずんでしまうといわれています。実はモルディブやフィジーといった島国も同じ危険にさらされています。

# 陸地の氷がとけて海面が上がる

南太平洋にうかぶツバルという小さな島国は「21世紀中に国土の95%を失う」と予測されています。その理由は、海面上昇によって海にしずんでしまうからです。

温暖化が進むと、陸地の氷が海にとけ出すほか、海水の温度が上がって海の体積が増えます。結果、海面の水位が上昇してしまうのです。1901年から2018年の期間に、世界の海面水位は約20cm上昇しました。このままいけば、2100年には32〜62cm上昇すると言われ、温暖化が加速した場合は1mをこえるおそれもあるそうです。ツバルの平均海抜は約1.5mで、ほかにもモルディブやフィジーなど海にしずむ危険性がある国や島はいくつもあります。

日本も決して他人事ではありません。海面が30cm上昇したら全国の砂浜の50%が失われ、1m上昇したら90%が失われると予測されています。豊かな生物多様性を持つ干潟もなくなる危険性があり、生態系に大きなえいきょうが出てしまいます。

ちなみに、地球上の氷の90%は南極大陸にあります。南極の氷の厚さは平均2450m、最も厚い部分は4500mで、富士山（3776m）よりも高いのです。もしも南極の氷がすべてとけてしまったら、地球の海面は約60mも上昇するそうです。関東平野の多くが海にしずみ、東京湾から30km以上もはなれた多摩地域が沿岸部になります。

※ 出典：ツバル外相による

外に出たらすぐ泳げるようになるのかな？

21

## ⭐9 食べ物の種類や量が減ってしまう

## 食べ物があるだけマシ？
## 世界には食べられない人も

食べ物を満足に食べることができない人の数（飢餓人口）は、7億3500万人（2022年）です。穀物の多くが家畜の飼料に使われる一方で、世界ではおよそ10人に一人が食事できずに苦しんでいます。

# 肉やラーメンが食べられなくなる！？

　世界の人口は増え続けています。1950年は約25億人でしたが、50年後の2000年には60億人を突破。2058年ごろには100億人をこえると予想されています（2024年2月時点の世界人口は約80億人（※1））。

　人口増加で心配なのは、肉の消費量も増加することです。ウシ、ブタ、ニワトリなどの家畜を育てるためには、えさ（飼料）として大量の穀物が必要になります。たとえば、牛肉1kgを生産するために必要となる飼料の量は、なんと10倍以上の11kgです。肉の消費量は生活が豊かな先進国ほど多いのですが、今後、発展途上国が成長して食生活の水準が上がれば、世界の肉の消費量はさらに増えていき、飼料となる穀物もより多く必要となります。この結果、私たちが主食として口にする穀物が不足するばかりか、肉を食べる機会すらも減ってしまうかもしれないのです。

　また、日本の食料自給率（カロリーベース）は約40%（※2）と低く、半分以上の食料を海外からの輸入にたよっていることも問題です。日本国内だけで食料を調達できない日本は、海外からたくさんの食べ物を輸入しています。もしも何らかの理由で輸入がストップしてしまうと、日本人が食べられる物が大はばに減ってしまいます。たとえば、小麦は80%が輸入なので、小麦由来のパンやめん類（うどん、パスタ、ラーメンなど）が食べられなくなる可能性があります。

　食料不足は貧しい国の問題だと思いがちですが、食料自給率が低い先進国も決して例外ではないのです。

※1 出典：国際連合
※2 出典：農林水産省

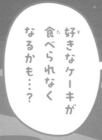

好きなケーキが食べられなくなるかも…？

## ★10

# 食べ物をムダにする
# 食品ロスがなくならない

## 2021年の食品ロスは約523万トン
## 東京ドーム5杯分！

2000年度の日本の食品ロス量は約980万トンでした。2021年の食品ロス量は約523万トンにまで減りましたが（※）、政府は、食品ロス量を2030年までに半分の約489万トンに減らすことを目標にしています。

# 日本人は毎日おにぎり1個を捨てている!?

22ページでは食料不足の危険性についてしょうかいしました。食料は人間が生きていく上で欠かせない大切なエネルギー源です。しかし残念ながら、余った食品を捨てる「食品ロス（フードロス）」という問題がなかなか解決しません。世界自然保護基金（WWF）によれば、2021年の世界の食品ロス量は「年間25億トン」で、その年に生産・さいばいされたすべての食料のうち、約40％が食べられることなく捨てられていることがわかりました。

食品ロス量が多いのは、中国やインドなどの人口が多い国、ナイジェリアやコンゴ民主共和国などの食品の管理技術が不足しているアフリカ諸国、そしてアメリカや日本など食生活の水準が高いために食品を多く消費しすぎてしまう先進国です。異なる理由でさまざまな国が食品ロスを起こしているのです。

2021年度の日本の食品ロス量は約523万トンで、国民1人当たり毎日約115gの食品を捨てている計算になります。115gを身近な食べ物でたとえると、「コンビニのおにぎり」とほぼ同じ重さです。毎日すべての国民がおにぎり1個分の食品を捨てていると考えると、とてももったいない気がするでしょう。

日本の食品ロスのうち、家庭から出る食品ロス量は年間約244万トンです。家庭系食品ロスは、作りすぎや食べ残し、冷蔵庫に放置したままくさらせてしまう……などに注意することで減らせます。

※ 出典：環境省

食べ物をそまつにするやつは許さん！

# ギャー 地球<ruby>編<rt>へん</rt></ruby>

## 11

# 地球をよごす有害化学物質①
# 大気汚染で病気が増える

## 大きな問題になった
## 四日市ぜんそく

工場から出る有害な化学物質のせいで大気汚染が進み、近くに住む人たちがぜんそくのような症状になった四日市ぜんそく。世界ではこのような大気汚染で多くの人たちが命を落としています。

# 急激に工業化が進む新興国で深刻化

温室効果ガスと同じく、増えると困るのが大気汚染の原因となる有害化学物質です。工場や自動車から出る排気ガスには、さまざまな有害化学物質がふくまれています。これらを吸いこむと、のどや肺などの病気を引き起こし、肺がんになりやすくなるともいわれています。世界保健機関（WHO）によれば、毎年700万人前後が大気汚染によって命を落としているそうです。

大気汚染は、おもに工業化や都市化が急激に進む新興国で深刻化します。高度経済成長期の日本も、大気汚染で健康被害を招きました。1960年代から70年代にかけて問題化した「四日市ぜんそく」は、石油化学工場から出る硫黄酸化物という有害化学物質が原因です。現在、日本は大気汚染防止法や環境基本法などの法律により、大気汚染はおさえられています。

ちなみに大気汚染とは異なりますが、日本で毎年2月ごろからはじまる「スギ花粉による花粉症」も、人間によってもたらされた病気です。戦時中の日本は、資材や燃料のために大量の木を切りたおしました。ところが、「はげ山」となった各地で土砂崩れが多発。そこで政府は、幅広い用途に使えるスギを植えることにしました。この人工林のスギが手つかずのまま放置され、現代日本の風土病ともいえるスギ花粉による花粉症が誕生してしまいました。

しかしスギは縄文時代には自生していたといわれる日本の植物です。日本人にとって身近な植物だったはずが、戦後になってなぜ急に多くの日本人にとってのアレルギー物質になったのかはわかっていません。

第1章　地球編

花粉症って人間のせいだったの！

27

# 地 球 編

## ☆12

# 地球をよごす有害化学物質②
# 土壌&水質汚染で病気増!

## 有害な化学物質は
## 水や土までも汚染する

有害な化学物質は空気だけでなく、水や土も汚染します。そうなると、水中の魚や、畑で育った野菜などにもえいきょうがおよびます。経済成長を優先し、環境問題を後回しにした日本ではこうした事件が多く起きました。

# 2000人以上の死亡者が出た水俣病

有害化学物質は、大気だけでなく土や水も汚染します。土壌汚染・水質汚染でこわいのは、汚染された場所で育った農作物や魚介類を食べることで体内に取りこんでしまうところです。

日本の代表的な汚染例は、1950年代に発生した「水俣病」です。工場廃水にメチル水銀という有害化学物質が混じって海へと流れ出した結果、近くの海でとれた魚や貝を食べた人たちに健康被害が起こりました。手足のしびれや体のふるえのほか、会話が上手にできないなどの症状が出て、なかには激しい痛みをうったえて意識不明となる人も。最終的に2000人以上の死亡者を出し、26ページの四日市ぜんそくとともに日本の「四大公害病」として知られています（残る2つは新潟水俣病とイタイイタイ病）。

土壌汚染は大気や水とちがって移動しにくいため、気づいたときには汚染が進んでいることもあります。こうした事態を避けるため、日本では法律にもとづく土壌汚染調査が行われています。2021年度には530件が指定基準をこえ、調査件数が増えるたびに土壌汚染が見つかる件数も増えています。

大気汚染と同じく、土壌汚染と水質汚染は急速に工業化が進む新興国で起こりやすい傾向があります。現在は経済成長がめざましい中国やインドを中心に、発展途上国で公害が見られ、国民の健康や環境に悪えいきょうをおよぼしており、問題になっています。大気汚染や水質汚染などの公害により、世界では年間で推定約900万人が死亡しています。経済成長を優先するあまり、人体や環境にあたえる問題の対策をあとまわしにしてしまうのです。

問題と宿題の
あとまわしは
よくないよ…

29

## ★13

# マイクロプラスチックが体内に溜まっていく!?

## あなたにもたまっている?
## マイクロプラスチック

直径5mm以下になった破片を「マイクロプラスチック」、さらに細かい砂つぶほどの大きさのものを「マイクロビーズ」と呼びます。体内のマイクロプラスチックを1つに集めると「にぎりこぶしと同じくらいの大きさになる」ともいわれています。

# 1億5000万トンのプラスチックごみ

ポイ捨てや放置されたごみなどが川に流されると、やがては海へと出て海洋ごみとなります。海洋汚染につながる海洋ごみのなかでも、とくに深刻なのが、ペットボトルやレジ袋などのプラスチックごみ（海洋プラスチック）です。プラスチックはび生物が分解できないため、ほぼそのままの形で海を漂います。魚や海鳥などがえさと間違えて食べたのちに死んでしまったり、釣り糸や漁の網にからまって傷ついたりと、海の生物をおびやかしています。

海洋プラスチックは年間800万トン以上が流れこみ、すでに海には1億5000万トンもあると考えられています。(※) 長期間海を漂ったプラスチックは、波や紫外線のえいきょうを受けて細かくくだかれていきます。そして5mm以下になったプラスチックは「マイクロプラスチック」と呼ばれ、こちらも非常に深刻です。マイクロプラスチックからは有害化学物質が見つかることがあり、これを体内に取りこんだ魚介類などを、私たちは食べているかもしれないのです。世界自然保護基金（WWE）によれば、人間は食べ物を通じて年間3万9000〜5万2000個ものマイクロプラスチックを摂取しているそうです。

人間の体内にマイクロプラスチックがたまると、いったいどうなってしまうのか──現段階ではわかっていません。もしかしたら近い将来、マイクロプラスチックが原因の健康被害が世界中で報告されるかもしれないのです。

私たちにできることは、まず一人ひとりがプラスチックごみを減らすこと、そしてポイ捨てをしないことが重要です。

※ 出典：国際連合

第1章 地球編

わたしはポイ捨てしないようにするわ！

31

★14

# <ruby>極端<rt>きょくたん</rt></ruby>な<ruby>天気<rt>てんき</rt></ruby>や<ruby>自然災害<rt>しぜんさいがい</rt></ruby>が<ruby>増<rt>ふ</rt></ruby>える！

## <ruby>山全体<rt>やまぜんたい</rt></ruby>が<ruby>燃<rt>も</rt></ruby>える<ruby>山火事<rt>やまかじ</rt></ruby>や<ruby>砂漠<rt>さばく</rt></ruby>で<ruby>起<rt>お</rt></ruby>きる<ruby>洪水<rt>こうずい</rt></ruby>も

<ruby>世界中<rt>せかいじゅう</rt></ruby>でも<ruby>異常気象<rt>いじょうきしょう</rt></ruby>が<ruby>増<rt>ふ</rt></ruby>え、ヨーロッパでは<ruby>水不足<rt>みずぶそく</rt></ruby>、<ruby>規模<rt>きぼ</rt></ruby>の<ruby>大<rt>おお</rt></ruby>きな<ruby>山火事<rt>やまかじ</rt></ruby>などが<ruby>続<rt>つづ</rt></ruby>いています。さらには<ruby>砂漠地帯<rt>さばくちたい</rt></ruby>でも<ruby>洪水<rt>こうずい</rt></ruby>が<ruby>発生<rt>はっせい</rt></ruby>し、<ruby>人<rt>ひと</rt></ruby>や<ruby>家<rt>いえ</rt></ruby>が<ruby>流<rt>なが</rt></ruby>されるなど、これまで<ruby>想像<rt>そうぞう</rt></ruby>もできなかった<ruby>種類<rt>しゅるい</rt></ruby>の<ruby>災害<rt>さいがい</rt></ruby>が<ruby>起<rt>お</rt></ruby>きています。

# 世界各地で異常気象が発生

　2023年の夏は、日本各地で最高気温40℃をこえるなど、全国的に厳しい暑さが続きました。7月から9月までの平均気温は、気象庁が記録を始めてからの125年間で最も高く、まさに異常気象といえます。

　極端な気候変動は温暖化が理由で、日本にもたらしたのは高温だけではありません。発達した雨雲が同じ場所に長時間とどまり、大雨をもたらす「線状降水帯」が増えています。2023年も5月から7月にかけて線状降水帯が各地に発生し、東北や九州に大きな被害をもたらしました。一方で、まったく雨が降らずに水不足となった地域もあります。2023年秋、西日本では2カ月間の降水量が平年の30%未満となった地域があり、愛媛県の鹿野川ダムは貯水率がゼロに。乾燥してひび割れたダムの底が見えるほどに干上がってしまいました。

　極端な異常気象は世界でも見られます。ヨーロッパでは夏場に「過去500年で最悪」といわれるほどの水不足が起こり、山火事の増加や農作物の収穫量の減少などの被害が出ました。

　また、中東オマーンの砂漠では洪水、アフリカのサハラ砂漠南部では大雨など、砂漠地帯で水害が発生しています。一見、乾燥地で雨が降るのはいいことのように思えます。しかし、乾燥地の住宅は土やねんどをかわかした「日干しレンガ」が使われており、大雨にたえられる構造ではありません。極端な気候変動は、その地域に根付いた生活・文化をおびやかすかもしれないのです。

雨ばっかりで母ちゃんがイライラしてた！

# ⭐15 魚や野菜・果物の産地が変わってしまう!?

## いろいろな産地がスーパーに並ぶかも

スーパーの食料品売り場で並ぶ野菜や魚には、多くの場合、産地が書かれています。これまではだいたいの産地は決まっていましたが、これからはびっくりするような産地が出てくるかもしれませんね。

# 北海道の名産・サケが減っている

　私たちの食卓にも上がる身近な魚・サケ。農林水産省によれば、日本人が最もよく食べる魚がサケで、1世帯当たりの年間消費量は2622gです。しかし、近年はサケの漁獲量が減っています。サケの産地である北海道では、2002年に23万トンのサケがとれていましたが、2020年にはわずか5万トンにまで落ちこんでしまいました。その一方で、漁獲量が増えているのがブリです。かつては数百トンだったブリの漁獲量が、2020年には1万5000トンに増大したのです。この理由は、気候変動による海の環境変化です。サケは寒流を泳ぐ魚で、ブリは暖流を泳ぐ魚です。近年、暖流（黒潮）にのって北海道まで北上するブリが増えていて、暖流におされた寒流（親潮）のサケが減っているというわけです。寒流は魚のえさとなるプランクトンが多く、漁業資源が豊富です。暖流でとれる魚も多いですが、このまま日本近海の海流が暖流優勢になってしまうと、日本の漁業資源が減ってしまうかもしれないのです。

　こうした産地の変化は陸地の農作物でも見られます。野菜や果物は、それぞれさいばいに適した温度があります。しかし、平均気温が上がるにしたがって、さいばいに適した場所が北上してしまいます。たとえば、新潟県は日本一お米の収穫量が多いお米の名産地ですが、このまま気温が上昇すると、2100年にはお米ではなく、みかんのさいばいに適した地域になってしまう可能性があるのです。温暖化を防ぐことはもちろん、気候変動による産地の変化にも対応できるように準備を進める必要があるでしょう。

わたしの好きなマグロはだいじょうぶ？

## ★16 世界遺産が なくなっちゃう!?

## ゴミのせいで自然遺産に なれなかった富士山

日本を象徴する景色として世界的にも有名な富士山（世界文化遺産）ですが、世界自然遺産には登録されていません。それは登山客によるたくさんのゴミのせいでした。ゴミ問題はいろいろな場所で悪いえいきょうを残しています。

# 気候変動だけでなく観光客も問題

地球には、美しい自然環境や人類が生み出してきた貴重な文化・人工物が数多くあります。これらを「人類共通の宝物」として守り、未来へと残すために登録されるのが世界遺産です。

しかし、気候変動によって世界遺産を守れなくなってしまう可能性が出ています。「水の都」と呼ばれるヴェネツィア（イタリア）は、歴史的建造物と運河が有名な世界遺産の街です。しかし、近年は温暖化による海面上昇が進み、街が水没してしまうおそれがあるのです。ヴェネツィアは年間2500万人が訪れる人気観光地ですが、観光客が多すぎることも問題です。なぜなら、ゴミのポイ捨てなどで街をよごしたり、住民たちに迷惑をかけたりする「オーバーツーリズム（観光公害）」という状況におちいっているからです。

オーバーツーリズムは、富士山、白川郷、京都など日本各地の世界遺産でも見られます。海外から多くの観光客が訪れることは喜ぶべきですが、世界遺産としての価値が下がれば、保全・保護するという本来の目的から外れてしまいます。

世界遺産の中でも、その価値が失われる可能性が高いものは「危機遺産」と呼ばれます。武力紛争、自然災害、大規模工事、都市開発、観光開発、商業的密猟などにより、その価値を損なうような重大な危機にさらされている状態で、現在、世界遺産は約1200件が登録されていますが、そのうち56件が危機遺産です。1つでも多くの世界遺産を未来に残すため、適切な保全・保護が求められています。

ゴミを捨てるなら行くんじゃない！

# ギャー地球編<sub>へん</sub>

## ★17

# 気候変動や自然災害で貧困層の貧しさが加速する

## 富や財産を持つ人の方が長生きする世の中になりつつある

開発途上国などの貧しい国は防災対策が十分にできていません。そのため、地震や洪水といった自然災害が起こったときに被害にあいやすいのです。また、その後も復興が進まず、さらに国が貧しくなってしまうのです。

# 貧しい人ほど災害のぎせいになりやすい

気候変動や自然災害が起こると、貧しい人はさらに貧しくなってしまいます。なぜかというと、お金持ちの人よりも、貧しい人の方が災害で受けるダメージが大きくなりやすいからです。

お金持ちの人は、地盤のかたい高台の土地に、立派でがんじょうな家を建てて暮らします。その方が地震や洪水が発生したときのえいきょうが少なく、安全に暮らせるからです。しかし、貧しい人はそのような家に住む経済的なよゆうがありません。災害時に受けるダメージが大きくなるばかりか、経済力がないため、もとの生活水準にもどすことも難しくなってしまうのです。

この傾向は、人同士ではなく国同士を比べたときも同じです。1984年から2013年の29年間、自然災害で亡くなった人は全世界で約243万人(※)でした。死者数は平均所得が低い国ほど多く、低所得国と中所得国だけで全体の76%(約186万人)をしめています。

開発途上国などの貧しい国は防災対策が不十分で、自然災害が起こったときの被害が大きくなってしまいます。また、被災後も復興が進まずに経済活動が止まり、国全体がさらに貧しくなるというあくじゅんかんにおちいってしまいます。世界銀行によれば、自然災害によって毎年2600万人が貧困となり、その経済的損失は60兆円以上です。気候変動や自然災害によって、富裕層と貧困層の格差が広がってしまうのです。

※ 出典：内閣府

## 貧しくて学校に行けない子どももいる

### 小学校に行くはずの年で銃を持たされることも

紛争地帯では土地を追われて難民になっている人もいます。また、中東やアフリカなどの国では、15才前後の子どもたちが兵士として戦地に立たされています。

# ☆18 貧しい国に対して豊かな国のサポートが足りない

## ナイルパーチの話は外来種問題にもつながる

ヴィクトリア湖の生態系を変えてしまったナイルパーチ。これと似たケースが滋賀県の琵琶湖でも起きています。湖に持ちこまれたブラックバスやブルーギルは、琵琶湖の固有種にえいきょうをあたえています。

# 国内の治安を悪化させたナイルパーチ

　貧しい国を見捨てることなく、成長をサポートすることは先進国の役目です。しかし、かつて先進国は、サポートするどころか国内の構造をゆがめるような行動をとっていたこともあります。

　代表的な例は「ヴィクトリア湖のナイルパーチ」です。ヴィクトリア湖は世界3位の面積をほこるアフリカ東部の湖で、豊かな生態系を築いていました。しかし、イギリスがタンザニアを植民地にしていた1950年代、この湖にナイルパーチという魚を食用目的で放流したことで状況が一変しました。ナイルパーチはナイル川原産で、最大で全長2m・体重200kgというとても大きな淡水魚です。くせのない白身魚で、味がスズキに似ていたことから、日本でも「白スズキ」の名前で食べられていた時代がありました。

　ナイルパーチ漁業は輸出産業として大成功しますが、代わりに貴重な固有種の多くが絶滅に追いやられました。困ったのは、もともと固有種をとって暮らしていた漁師たちです。2mの巨大魚をとる漁具もなく、仕事をうばわれてしまいます。この結果、貧しい人が増え、国内の治安が悪化してしまったのです。

　これは「ヴィクトリア湖の悲劇」とも呼ばれ、映画『ダーウィンの悪夢』でも取り上げられ、ナイルパーチは主人公になっています。

　現在、先進国は貧しい国に対し、特別な気配りをすることを約束しています。しかし、具体的にどのような気配りをしているかは不明です。開発途上国が貧しい生活からぬけ出すには、まだまだ長い年月がかかりそうです。

ところでナイルパーチっておいしいの？

## ★19★

# 小さな子どもとお母さん
# 助かるはずの命がうばわれる

## 体の弱い人たちが
## 生きていけないことも

病気にかかりやすい乳幼児や妊婦は、めずらしくない病気で命を落とすことがあります。たいていの場合、清潔な水やワクチンなどで防ぐことができますが、世界にはまだそれができない国があるのです。

# 死亡者の大半がサハラ以南の国々

新たな命の誕生に、多くの人が祝福する「出産」。

しかし、医療環境が整っていない地域での出産・育児はとてもきびしく、子どもも母親も死亡してしまうケースが目立ちます。とくに「サハラ以南」と呼ばれるサハラ砂漠より南に位置するアフリカの国々は、死亡リスクがとても高いのです。

2021年、5才未満の子ども（乳幼児）の死亡数は約503万人（※）でした。このうち、サハラ以南の死亡数は290万人（※日本は1930人）で、全体の約58％をしめています。一方、妊娠や出産に関係した原因で命を落とした女性（妊産婦）は、年間約29万人です（2020年）。サハラ以南の死亡数は年間約21万人（※日本は36人）で、全体にしめる割合は乳幼児よりも高い約72％です。

サハラ以南には、経済発展がとくにおくれている「後発開発途上国」と呼ばれる国が集中しています。これらの国では、安全な水、予防接種のワクチン、出産後の母親のケア、新生児のケアなどが満足に得られません。多くの国では当たり前のように受けられるサービスが不足した結果、肺炎などの感染症や出産時の合併症など、本来ならば予防・治療が可能な原因で亡くなってしまうのです。

後発開発途上国の乳幼児や妊産婦に対するサポートは、以前から進められていて、死亡者数は確実に減っています。しかし、いまなおほかの国々と比べると大きな格差があるのです。

※ 出典：国連（UN IGME）

第1章 地球編

みんなが暮らしやすくなればいいなあ！

43

# ギャー 地球編

## ★20

# 飲(の)み水(みず)が
# 足(た)りなくなる!?

## 生(い)きるために必要(ひつよう)な水(みず)
## その量(りょう)が減(へ)ってしまう?

当(あ)たり前(まえ)のように蛇口(じゃぐち)から出(で)てくる水(みず)ですが、世界(せかい)ではそれが
当(あ)たり前(まえ)じゃない国(くに)もあります。近(ちか)い将来(しょうらい)、異常気象(いじょうきしょう)により、
日本(にほん)でも飲(の)み水(みず)が足(た)りなくなる可能性(かのうせい)もあります。貴重(きちょう)な水(みず)が
減(へ)らないよう、対策(たいさく)が必要(ひつよう)です。

# 日本でも水不足が増えるかもしれない

のどがかわいたら、蛇口のハンドルをひねるだけですぐに飲み水を飲める——日本人にとっては当たり前かもしれませんが、これはとてもめぐまれた環境です。日本の上水道設備は世界でもトップクラス。水道水をそのまま安全に飲める国は、日本、ニュージーランド、フィンランドなどわずか11カ国だけです。

一方、世界には安全に管理された飲み水を利用できない人が22億人いて、そのうち1億1500万人は湖や川、用水路など未処理の水を飲まざるを得ないのが現状です。

地球上の水は、約97.5%が海水で、淡水は約2.5%です。ただし、淡水の大部分は南極や北極の氷山になっていて、私たち人間がすぐに利用できる淡水は全体のわずか0.01%程度です。そんな貴重な淡水ですが、実は80億人すべての飲み水をまかなうことは可能だそうです。ところが、地域によって水資源にかたよりがあるため、地球上の全人類に平等に行きわたっていないのです。

また、近年は気候変動による異常気象が各地で相次いでいます。日本でも、東日本で集中豪雨による水害が発生したかと思えば、西日本では雨がまったく降らずに水不足になるなど、両極端な天候が目立っています。今後、さらなる気候変動が起こったとき、はたして日本は十分な飲み水を確保できるのでしょうか。貴重な淡水をこれ以上減らさないよう、水質汚染問題にも真剣に取り組む必要があります。

お風呂入れなくなるのいやだな〜

ギャー 地球編

### ☆21

# 農作物を育てるための
# 水が足りなくなる!?

## 今はだいじょうぶでも
## 未来はわからない

雨が降らないとニュースで話題になるのがダムの貯水量です。
たっぷりあった水も、晴れの日が続くとどんどん少なくなって
いきます。これと同じように、気候変動により世界で同様のこ
とが起こりうるのです。

46

# 30年間で水の使用量は約1.4倍に

44ページでもしょうかいした通り、淡水は地球上に存在する水の約2.5%しかなく、すぐに使えるのは0.01%程度(※)です。この限られた淡水は、すべて飲み水になるわけではありません。人間が使う水は、大きく生活用水・工業用水・農業用水の3種類に分けられ、最も多く使われるのが全体の水使用量の約7割をしめる農業用水です。

人口が増え続けるなか、世界の食料生産量も拡大しています。1995年の世界の年間水使用量は3572km³で、そのうち農業用水は2504km³でした。世界気象機関によると、2025年には年間水使用量が4912km³に増え、農業用水は3162km³になると予測されています。30年間で、水の使用量が約1.4倍に増えようとしているのです。水の使用量が増え続けるなか、気候変動でひとたび水資源のバランスがくずれれば、農業用水が足りなくなる可能性があります。

農業用水を効率的に使う方法は、かんがい農業です。かんがいとは、川や湖などから水を直接ひいて農作物を育てる農業のこと。ただし、計画があまかったり、管理が不十分だと、環境破壊を招いてしまいます。中央アジアに位置するアラル海は、かつて世界4位の面積をほこる巨大な塩湖でした。しかし、1960年代に周辺地域のかんがい農地を拡大した結果、アラル海へと流れこむ川の水量が激減。50年間で湖の面積は5分の1に干上がってしまいました。第2、第3のアラル海が生まれないよう、環境に配慮しながら水資源を開発しなくてはいけません。

※ 出典：国土交通省

水って限られた資源なんだな！

## ☆ 22

# なくならない屋外はいせつ トイレが足りない！

## 当たり前にあるトイレも 世界ではない家も……

日本では当たり前に家にあるトイレですが、世界ではいまだ屋外ではいせつをしなくてはならない国もあります。トイレはとても大切な設備。はいせつぶつをそのままにしておくと、病気や土壌汚染につながります。

## 世界では20人に一人が外で用を足す

　上水道と同じく、日本は下水道設備も整っています。また、あまり知られていませんが、会社に設置するトイレの最低数は、従業員の数に応じて法律で定められています。具体的には、女性従業員20人以内ごとに女性用便所を1個以上、男性従業員60人以内ごとに男性用便所を1個以上、男性従業員30人以内ごとに男性用小便所を1個以上といった具合に、従業員が一定数をこえるとその分だけトイレを増やさないといけないのです。（※）

　はいせつに関する法律といえば、もう1つ。日本では緊急時などのやむえない場合をのぞき、屋外でのはいせつは軽犯罪法で禁止されています。違反した場合、たいほされて「1000円以上1万円未満の罰金」が科されることがあります。

　しかし世界には、屋外でしかはいせつできない人たちがいます。家はもちろん、近所にもトイレがなく、バケツやビニール袋で用を足したり、道ばたや草むらなどではいせつしたりする人たちが4億1900万人（全人口の約5％）もいるのです。はいせつぶつには病気を引き起こす細菌がたくさんふくまれているため、屋外はいせつは、感染症や土壌汚染の原因となります。SDGsの目標の1つとして、2030年までに屋外はいせつをなくし、すべての人が平等にトイレを利用できるようにすることをかかげています。ただし「ただトイレを設置すればいい」という話ではありません。屋外はいせつの危険性や衛生教育も行う必要があり、目標の実現にはまだまだ時間がかかりそうなのが現状です。

※ 出典：労働安全衛生規制

トイレって衛生のためにも大切なのね！

49

# 23

# 侵略的外来種が
# 生態系をおびやかす!

## 生態系をこわすだけでなく
## 感染症まで引き起こす

外来種は新たな病原体を持ちこんで感染症を引き起こすおそれ
もあります。パンデミックを防ぐためにも、外来種の移動には
慎重にならなくてはいけません。飼えなくなった生き物を近く
の川や池に放流することも、生態系の破壊につながります。

# ワカメは海外ではきらわれもの！

もともとその国にいる動物・植物を「在来種」と呼び、外国から入ってきた動物・植物を「外来種」と呼びます。

しましま模様のしっぽが可愛いアライグマは、北アメリカ原産の外来種です。昭和時代にアライグマブームが起こり、ペット用として輸入されるようになりました。しかし、無責任な飼い主が捨てたり、手先が器用で脱走したりした結果、野生化してしまいました。アライグマは日本に天敵となる大型肉食獣がおらず、さまざまな動植物を食べる雑食であり、はんしょく力も強い動物なので、在来種の生態系をこわしてしまうおそれがあります。このように、その国・地域の生態系や生物多様性をおびやかす外来種のことを「侵略的外来種」や「特定外来生物」と呼びます。

日本の在来種が海外で迷惑をかけているケースもあります。東アジア原産のワカメは、船に入りこんだ胞子が運ばれて世界中の海に分布するようになりました。実はワカメを食べる文化を持っているのは日本・韓国・北朝鮮だけです。このため、はんしょく力が強く天敵もいないワカメは各地の海で大量発生してしまったのです。

養殖の貝やエビの成長をさまたげたり、漁具にからまったりすることから、ワカメは海外ではきらわれもの。世界の「侵略的外来種ワースト100」にも選ばれています。ほかにも、アジア原産の淡水魚であるコイも、生命力が高く何でも食べて在来種を駆逐してしまうため、ワカメと同じく侵略的外来種ワースト100の1種です。

食べるとうまいのになワカメ！

# ギャー 地球編

## ★24

# 多くの動物・植物が絶滅してしまう!?

## まだ知られていない生物が世界にいる？

「地球上の生き物175万種」は、人間に確認されている種の数です。未発見の生き物をふくめると、3000万種以上の生き物がいるのではないかと考えられています。「新種発見！」のニュースはこれからも続きそうです。

# 生き物の絶滅ペースが100倍になっている

現在、地球上には約175万種の生き物がいるといわれています。国連によれば、生き物が絶滅するペースは「100年間で1万種あたり1種」とのことです。ところが、この100年間で「1万種あたり100種」が絶滅しています。確認できているものだけでも、生き物が絶滅するペースが100倍になっているのです。

国際自然保護連合（IUCN）が2023年12月に発表した『レッドリスト』によれば、絶滅の危機が高いとされる野生生物（動物・植物）は4万4016種。前の年よりも約2000種増えています。また、オーストラリアのシドニー大学の研究では、これから数十年の間に昆虫全体の40％が絶滅するおそれがあるそうです。絶滅の原因は、気候変動や人間の開発によって生息地が消えた、密漁で乱獲された、外来種が在来種を食べてしまった……などが挙げられます。いずれにしても、人間が引き起こした絶滅であることを忘れてはいけません。

人間は、自然を利用しながら文化・文明を発達させてきました。自然界が生み出す資源は、人間が作り出すもの以上に貴重です。しかし、特定の生物種が絶滅すると、何かしらの自然資源が失われる可能性があります。生物が絶滅することなく多様性を保っている状況は、その地域の生態系・環境が保たれていることを意味します。つまり、絶滅の危機にある生き物が多いということは、環境がこわれる可能性が高いことを意味しており、危ない状況であることを知っておきましょう。

第1章 地球編

かわいい動物はいなくならないでほしい…

⭐25

# 海のバランスがくずれて
# めちゃめちゃになる？

## 海の成分が
## 少しずつ変わっている

大量のCO2が海に溶けこむことによって、弱アルカリ性だった海の酸性化が少しずつ進んでいます。酸性は、サンゴや貝、カニなどの生態系に深刻なえいきょうをおよぼすため、海洋酸性化を防ぐためにも、CO2を減らす取り組みが必要です。

# プランクトンの大量発生を招く富栄養化

海洋プラスチックをはじめとする海のごみが海洋汚染の原因となっている話は、30ページでもしましたよね。しかし、海を取り巻く問題はごみだけではありません。

生活排水や工場排水にふくまれる窒素とリンは、植物やプランクトンの栄養になります。窒素とリンが海に多く流れこみ、通常よりも海の栄養分が増えた状態を「富栄養化」と呼びます。栄養が増えるのは良いことのように感じますが、富栄養化が進むと、窒素とリンを栄養とするプランクトンが増えて「赤潮」が発生してしまいます。赤潮は海の中の酸素が少なくなるため、魚や貝が死んでしまうのです。

だからといって、窒素やリンがまったく流れこまないようにすると、今度は魚のえさとなるプランクトンが減りすぎてしまいます。実際に、海苔の産地として有名な瀬戸内海は、かつて赤潮が何度も大量発生したことから、ほかの海域よりも窒素の排出が厳しく規制されたことがありました。しかし、規制が行き過ぎて海がきれいになりすぎた結果、プランクトンがへって肝心の海苔が上手に育てられなくなってしまいました。

現在、地元の下水処理施設で取り除いていた窒素を、わざと多くして瀬戸内海へと排水しています。それほどまでに、海の栄養は絶妙なバランスで保たれているのです。

## 「プランクトン」って結局なに？

### プランクトンとは「水中をただようもの」

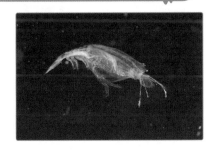

プランクトンは水中にうかんだまま生活する生き物のこと。大小さまざまな大きさがおり、ケイソウや小型甲殻類、クラゲ、魚類の幼生などを指します。

# ★26 干潟<rp>（</rp>ひがた<rp>）</rp>を守<rp>（</rp>まも<rp>）</rp>らないと 海<rp>（</rp>うみ<rp>）</rp>の生態系<rp>（</rp>せいたいけい<rp>）</rp>が失<rp>（</rp>うしな<rp>）</rp>われる!?

## 干潟<rp>（</rp>ひがた<rp>）</rp>がうめたてられると 生<rp>（</rp>い<rp>）</rp>き物<rp>（</rp>もの<rp>）</rp>が死<rp>（</rp>し<rp>）</rp>んでしまう

人<rp>（</rp>ひと<rp>）</rp>の手<rp>（</rp>て<rp>）</rp>が加<rp>（</rp>くわ<rp>）</rp>わったことによって生物多様性<rp>（</rp>せいぶつたようせい<rp>）</rp>が高<rp>（</rp>たか<rp>）</rp>くなった沿岸海<rp>（</rp>えんがんかい<rp>）</rp>域<rp>（</rp>いき<rp>）</rp>を「里海<rp>（</rp>さとうみ<rp>）</rp>」と呼<rp>（</rp>よ<rp>）</rp>びます。陸地<rp>（</rp>りくち<rp>）</rp>でいう里山<rp>（</rp>さとやま<rp>）</rp>と同<rp>（</rp>おな<rp>）</rp>じく人<rp>（</rp>ひと<rp>）</rp>と自然<rp>（</rp>しぜん<rp>）</rp>が共生<rp>（</rp>きょうせい<rp>）</rp>する場所<rp>（</rp>ばしょ<rp>）</rp>であり、陸<rp>（</rp>りく<rp>）</rp>と海<rp>（</rp>うみ<rp>）</rp>をつなぐ里海<rp>（</rp>さとうみ<rp>）</rp>は、干潟<rp>（</rp>ひがた<rp>）</rp>と同<rp>（</rp>おな<rp>）</rp>じく大<rp>（</rp>たい<rp>）</rp>切<rp>（</rp>せつ<rp>）</rp>に守<rp>（</rp>まも<rp>）</rp>っていく必要<rp>（</rp>ひつよう<rp>）</rp>があります。

# 干潟は自然の下水処理場

海洋汚染や富栄養化、海洋酸性化など、さまざまな問題をかかえている日本の海。漁業・養殖業の生産量は、1984年にピーク（1282万トン）をむかえてからは減り続ける一方で、2021年はわずか421万トンです。すでに海の生態系はくずれはじめていて、環境省が公表しているレッドリストでは、56種の海洋生物が絶滅危惧種になっています。

海の汚染を食い止める方法として、人間が必要以上の物質を流さない、下水処理能力を高めるなどが挙げられますが、「干潟」を守ることもとても大切です。

干潟とは、有明海のように干潮時に海から姿を現す海岸の浅瀬です。「潮干がりをする場所」といえば、ピンと来る人もいるのではないでしょうか。見た目は地味な干潟ですが、実は生物多様性にあふれています。藻類や貝類、バクテリアなどが水をきれいにしてくれるため、自然の下水処理場のような存在なのです。しかし、「浅瀬だからうめたてしやすい」という理由で、工場や発電所、住宅地などの土地として目をつけられ、戦後に多くの干潟がうめたてられた結果、20世紀の間に4割近くの干潟が姿を消してしまいました。

近年、干潟の価値が見直され、残された干潟を保全するとともに、各地で干潟を復活させる試みも行われています。なかには人工で干潟を整備する動きもあるようです。海を汚染から守るためにも、豊かな生態系を持つ干潟を大切にしましょう。

いろんな生き物がいるっていいな！

## ★27

# 日本5つ分の森が消えた!? 森林破壊がとまらない

## なくなってわかった
## 森林の大切な役割

植物は二酸化炭素を吸ってくれます。森林がなくなると二酸化炭素が増えることになり、地球温暖化が進んでしまいます。ほかにも森林は水をたくわえるなどの役割があり、それらはいま見直されています。

# 森林破壊は温暖化や洪水の原因に

世界の森林が減り続けています。2020年の世界の森林総面積は40億6000万haで、1990年からの30年間で1億7800万haが消えてしまいました（※）。日本の総面積はおよそ3780万haなので、実に日本の国土の5倍近い森林が失われた計算になります。

森林破壊はブラジルやインドネシアなどの熱帯雨林で深刻な問題となっています。原因は、農地などの土地として利用する、紙の原料にする、鉱石をとるためにじゃまだから切る……などさまざまです。日本の森林面積は40年前とほとんど変わっていませんが、だからといって海外の森林破壊は日本人にとって無関係ではありません。なぜなら、私たちが食べたり使ったりする農作物、紙、鉱石などは、こうした森林破壊の上に成り立っているからです。

森林破壊はCO2（二酸化炭素）の増加にも関係しています。植物はCO2を吸収して、酸素を出す働きがあります。森林が減れば、吸収されるはずだったCO2は大気に残り、温室効果ガスとなって温暖化が進んでしまいます。

また、森林は雨が降ったときに雨水を吸い上げるほか、地下に染みこんだ雨水は植物の根と土のすきまを通り、時間をかけて川へと流れこんでいきます。つまり、森林は天然のダムの役割をはたしているのです。森林がなくなると、雨が降ったときに川へと流れこむ水の量が増えるため、洪水などの水害が起こりやすくなります。ほかにも森林には草花や樹木、び生物や虫、動物など、さまざまな生命が生息しています。森林を守ることはこれらの生き物や生態系を守ることになります。

※ 出典：国立環境研究所、環境省

森林にはいろんな役割があるのね！

### ★28

# 急速な砂漠化で食料と水が不足する

## 砂漠はその面積を毎年1200万ha広げている

砂漠の大きさは一定ではなく、毎年その面積が広がっています。乾燥地がおとろえて砂漠になりますが、乾燥地は雨が少なく、さらに水が染みにくいため、今のところ砂漠化は止まる気配がありません。

# 乾燥地には20億人が住んでいる

現在、おそろしい速さで砂漠化が進んでいます。「砂漠」と聞くと、サハラ砂漠のような一面の砂を想像する人も多いかもしれませんが、それだけが砂漠ではありません。砂漠とは、雨の少ない乾燥地において、土地がおとろえてしまった場所のことです。植物がほとんど育たないため、砂漠化が進むことは農作物を育てる耕地が失われることを意味しています。

干ばつと砂漠化によって、毎年1200万haの土地が失われているそうです。これは、1年間で2000万トンもの穀物をさいばいできるほどの面積です。地球の陸地は約4割が乾燥地で、そこに約20億人が生活しています。砂漠化は食料や水の不足を招くことから、多くの人の命をおびやかす深刻な問題です。

砂漠化の原因は、気候変動による干ばつが挙げられます。人間活動のえいきょうも強く、無理して農地や都市を拡大したり、家畜を大量に放牧したりするため、ただでさえ栄養が少ない土地がおとろえて、砂漠化してしまいます。

また、乾燥地の地面はかたく、水が地中に染みこみにくいという特ちょうがあります。もともと乾燥地は雨が少なく、排水機能は大雨を想定したものではありません。しかし、近年は気候変動によって乾燥地にも大雨が降ることがあります。こうした場合、降った雨は大きな流れとなって洪水になり、その洪水によって大きな被害が出る可能性が高くなります。住人も洪水に慣れていないため、被害が拡大するおそれがあります。

雨が降ればいいわけじゃないんだな…

## ☆29
# 森林や湿地の減少で
# 陸の生態系がこわれてしまう

## 生き物が何もいない風景って
## ちょっと怖くない？

自然界のあらゆる生物がいっしょに暮らしている環境が生態系です。しかし、人間がかかわることでその生態系がくずれてしまうことがあります。どうやったらその環境を守ることができるのか、考えてみましょう。

# 人工林を放置すると生態系が貧しくなる

陸地で最も多くの生物多様性を持つのは森林です。森林には6万種の木が生え、ほ乳類の68％、鳥類の75％、両生類の80％が住んでいます。そんな森林が減っているのですから、世界各地で生態系がくずれはじめているのは当然といえるでしょう。

日本は国土の3分の2が森林ですが、実は日本の森林は決して良い環境とはいえません。国内の森林の4割が人工林という話は26ページでしましたが、この多くは適切に管理されていません。

自然界のあらゆる生物がともに暮らしている環境が生態系です。その生態系に人間が手を加えた以上、人間もまた自然界の一員として関わりを持ち続けないと、生態系はくずれてしまいます。スギ1種類だけで形成された人工林は、放置された結果、木の枝葉で光が遮られ、動植物の少ない貧弱な生物相となっています。

人間が手を加え、深く関わりを持った森林は「里山」と呼ばれ、豊かな生態系を築きます。しかし、現在はスギの人工林と同じく放置される里山が増えています。

また、湿地も豊かな生態系が築かれ、CO2（二酸化炭素）を吸収してくれる重要な場所です。しかし、海の干潟と同じくうめたて地の候補になりやすいので、大切に保全していかなければなりません。陸の環境をこわしているのは人間ですが、陸の環境を守ることができるのも人間であることを忘れないようにしましょう。

生態系っていう形が大切なのね！

# 地球がごみだらけに
# なってしまう！

## 日本でごみを出せるのは2047年まで!?

　世界194カ国で1年間に出るごみの量は約21億トン（2019年発表）です。日本は年間4095万トン（2021年度／一般廃棄物）で、国民一人当たり毎日890gのごみを出している計算になります。

　一般廃棄物とは、おもに家庭から出るごみのことです。これとは別に、工場などから出るごみは産業廃棄物と呼ばれ、日本では年間約3億7400万トンも排出されます。一般廃棄物と産業廃棄物を合わせると、世界のごみの量も大はばに増え、2025年の推計は140億トン、2050年には320億トンになるという予測もあります。

　世界人口が増えていくなか、ごみの量も増え続けています。ごみを焼却処分するときにはCO2（二酸化炭素）が出るので、温暖化にもつながってしまいます。

　ごみを減らすため、そもそもごみを出さない「リデュース（Reduce）」、くり返し使う「リユース（Reuse）」、工夫して資源にもどす「リサイクル（Recycle）」の「3R」が大切です。しかし、世界のリサイクル率は16％（※日本は19.9％）と低く、ごみが増えるペースに追いついていないのが現状です。

　焼却処分もリサイクルもできないごみは、最終処分場という場所にうめられます。処分場のスペースには限りがあり、今のペースでごみを出し続けると、日本の最終処分場は23年後（2047年）にいっぱいになってしまうといわれています。

# 第2章
# 宇宙編

宇宙のこわい話はスケールがちがうのだ!

# ★1 美しいものにはトゲがある？
## 金星の雲は濃硫酸

写真：©SCIENCE PHOTO LIBRARY/amanaimages

## かがやいて見える金星はその姿から
## 愛と美の女神の名前がつけられた

# 美しくてキケンな愛の女神様

ピカピカと明るく光る金星。夕方の西の空に見えたら「よいの明星」、明け方の東の空なら「明けの明星」といって、古くから親しまれてきた一番星です。昔の人たちは、美しくかがやく金星をギリシャ神話の愛と美の女神「ヴィーナス」になぞらえました。なんとも優美なイメージですね。

そんな金星ヴィーナスは、天文学的には太陽系の第2惑星。私たちが暮らす地球のすぐ内側で太陽の周りをまわっています。主成分は地球と同じく岩。サイズもほとんど地球と同じとあって、金星は「地球のふたごの兄弟惑星」なんて紹介されることもあります。

優雅で上品と思いきや、金星の真の姿はイメージとはほど遠く、生命には過酷すぎる環境だということがわかっています。

たとえば、ピカピカできれいなのは、金星の表面が「濃硫酸の雲」でおおわれているから。濃硫酸といえば劇薬です。ソーセージに穴を開け、洋服をとかしてけむりを出します。もちろん人のはだにかかったら大やけどです。金星が明るく見えるのは、地球に近いうえ、この毒の雲が太陽の光をよく反射するからなのです。

また、金星地表での気圧は分厚い大気におされて地球の90倍もありますから、人間の肺や内蔵はつぶされてひとたまりもありません。さらに、金星の海は大昔に蒸発したため、海にとけていた二酸化炭素が温室効果ガスとして金星をどんどん暖めて……。いまや地表付近はなまりもドロドロになる460℃の灼熱地獄！　金星は、生命にはキケンすぎる女神様のようです。

女神様なら会いたいけどこれはムリ！

67

# ギャー宇宙編

## 2

## ガスの雨や金属の雨……
## 雨の種類は星によってちがう

地球で雨といえば水が降るもの……
しかし宇宙では常識もくつがえる！

# 地球の雨はやさしい雨かもしれない

雨の朝は気分がパッとしない人も多いかもしれません。荷物にカサが増えるし、自転車はカッパがめんどうだし、ぬれるし、前がみはキマらないし……。

そんな「雨」をちょっと別の角度で見てみましょう。地球の雨の成分は水。どんよりした雲からぽつぽつと、時にザーザーと地表に水滴が降ってきますね。そんな水は、液体にも固体（氷）にも気体（水蒸気）にもなります。冷たい宇宙空間ではもっぱら固体の氷として存在していますが、地球表面はざっくり1気圧、平均気温15℃。この地球独特の絶妙なバランスのおかげで、雨、雲、川、海、氷河……地球では、水は液体、固体、気体に姿を変えてじゅんかんしています。そう、地球は「水の惑星」なのです。

さて、土星や海王星でも「雨」は降るようです。でも地球の水滴の雨とは違って、土星や海王星など大きなガス惑星の内部では、「ガスの雨」が降ると考えられています。どういうことでしょうか。

巨大ガス惑星の内部は、高温高圧のため、いろんなものが液体になっています。液体どうしの密度がちがえば、より重い方が下（内部）に落ちていくので、そうすると液体の中で別の液体の雨が降る、というちょっと不思議なことが起きます。たとえば土星の中の金属が高温でドロドロにとけていれば、熱い金属の雨がぼたぼたと降っていることでしょう。

地球の雨の朝もけっこうダルいけど、ドロドロの熱い金属の雨よりはやさしい雨なのかもしれませんね。

湿気もイヤだけど金属の雨はもっとイヤ！

# ギャー宇宙編

## ★3
## その存在は吉か凶か
## すい星に振り回される人々

**とつぜん夜空に現れるすい星は
昔の人たちをおどろかせた**

# 神秘と不安が連れてくるもの

　太陽にひかれて時おりやってくるすい星（ほうき星）。今でこそ、すい星がやってくると天文ファンは大喜びですが、ぼうっと光る玉に長いしっぽをなびかせたものが夜空に突然現れるのですから、昔の人にはさぞ気味悪く見えたことでしょう。

　昔は、天のできごとは地上のできごとと関係があると考えられていました。たとえば、紀元前44年にジュリアス・シーザーが暗殺されて間もなくやってきたすい星は、シーザーの死と関係があると考えられたようです。一方ナポレオンは、前の年にきたすい星をラッキーな知らせとみてロシア遠征にふみ切ったといいます。

　20世紀になるとすい星の正体がわかってきたのですが、1910年には地球がすい星のしっぽの中を通ることがわかると「空気がなくなる！」とパニックが起きました。空気をためるための自転車チューブが売り切れたり、数分間息を止める訓練をしたり。なかには自ら命を絶ってしまった人もいたといいます。その時代は、すい星のガスは有毒なシアン化合物や一酸化炭素ということはわかっていましたが、生き物にえいきょうするようなこさではないことまではわからなかったのです。

　現代の私たちの多くは、すい星と運勢は関係ないと知っているし、息を止める訓練とか自転車のチューブが売り切れたなんてちょっと笑ってしまいますね。でも、神秘的でわからないことへの不安な気持ちから不確かな情報やデマを流したり信じたり、現代の私たちにも身に覚えがありますね。

昔の人は
すい星が
こわかったんだね

# ★4 火星の地形はケタ違い!? 深すぎる谷と高すぎる山

## 噴火したら一体どうなる？ ビッグサイズのオリンポス山

# おとなりさんは太陽系イチのデコボコ惑星

火星は地球と同じ岩石惑星で、地球のすぐ外側をまわる太陽系第4惑星です。地表面が赤さび（酸化鉄）でおおわれていて、それが太陽の光を照り返すため赤っぽくかがやきます。直径は地球の約半分。うすいけれど二酸化炭素の大気があって、地表には山や谷のほか、水が流れたらしいあとも見つかっています。また、南極と北極には氷やドライアイスがあるほか、地下には液体の水もたくさんあるのではないかと考えられています。

地球に似た、ちょっと小ぶりな火星——でもその地形は、地球のななめ上をいくド迫力です。たとえば火星表面の4分の1を切りさく「マリネリス峡谷」。これは深さ7km、全長4000km、はば200kmもある、とてつもなく細長い谷です。地球のグランドキャニオンの8倍もある太陽系最大のさけめなのです。

太陽系最大の火山、「オリンポス山」もあります。高さは地球の最高峰エベレスト（8848m）の2倍以上で、きょうがくの2万mごえ。てっぺんのカルデラは富士山が丸ごとすっぽり入るほどの巨大な穴です。すそ野の広がりも直径550km以上とかなりビッグ。オリンポス山の近くに新しいクレーターがほとんどないことから、オリンポス山はまだ活動中の活火山ではないかと考えられています。太陽系最大の火山の噴火は、いったいどんなものなのでしょう？　一説では、サイズのわりに意外とおだやかな噴火かもしれない、ともいわれていますが、まだ誰も見たことがありません。もし噴火したら、地球上の望遠鏡がいっせいに火星を向くことでしょう。

スケールが大きすぎて想像できない…

# ギャー宇宙編

## ⑤ 大きすぎて見えなかった 規格外の土星の環

薄いうえ土星から離れていたため
だいぶ遅れて発見された

# 研究者もびっくり! 土星の奇妙な環の発見

土星は太陽系の第6惑星です。主成分は水素とヘリウムガス、直径は地球の9倍もある巨大なガス惑星です。ガスですから、表面にかたい地面はありません。地球でみなさんが足をつけることができるのは、地球が岩石惑星で、かたい岩の殻が表面をおおっているからです。

土星の特徴は、なんといっても立派な環です。環は数cm〜数mの氷のつぶの無数の集まりです。遠く離れた地球から楽しめるほどダイナミックな構造を作っていますが、その厚みはたったの数十m。意外にもペラペラなのです。

土星の環を天体望遠鏡などで見ると、条件の良いときにはまるでバームクーヘンのようなしま模様に見えます。環は明るさの特徴や縞どうしのすき間で区切って、A環、B環、C環、D環……などと名前がつけられています。

土星は「ガスの本体と、しま模様の環のセット」——。ほとんどの人がそう思っていましたが、2009年のある発見に研究者たちがおどろきました。「本体と環のセット」から、うんとはなれたところに奇妙な環が見つかったのです。やたらとうすくて大きく傾いていて、しかも信じられないほど巨大な環です。この環は、その環を生み出した衛星の名前から「フェーベ環」と名づけられました。フェーベ環の直径は、土星本体の300個分（3600万km）、厚みは10個分（120万km）もあります。あまりに土星から遠いことと、うすくて太陽の光をほとんど反射しないため、ふつうの望遠鏡では発見できなかったのです。太陽系には、未発見の「何か」がまだまだかくれていることを思い知らされる大発見でした。

宇宙にはまだまだ不思議がいっぱいだ!

## ⑥ 金属そのものが天体

<ruby>金属<rt>きんぞく</rt></ruby>そのものが<ruby>天体<rt>てんたい</rt></ruby>
<ruby>小惑星<rt>しょうわくせい</rt></ruby>プシケへの<ruby>探査<rt>たんさ</rt></ruby>

<ruby>貴重<rt>きちょう</rt></ruby>な<ruby>金属<rt>きんぞく</rt></ruby>が
<ruby>小惑星<rt>しょうわくせい</rt></ruby>サイズで<ruby>宇宙<rt>うちゅう</rt></ruby>を<ruby>漂<rt>ただよ</rt></ruby>っている？！

# 宝がいっぱいの星で億万長者？

小惑星は、太陽系にある無数の岩。大小さまざまの小惑星が、2023年12月現在で133万個以上見つかっています。小惑星たちは今も太陽系が生まれた46億年前の情報を持ったまま太陽の周りをまわっているようですから、小惑星の探査や研究を進めれば、なぞに満ちた太陽系の生い立ちや将来の姿にせまることができます。

小惑星のタイプは大きく3つ。炭素が多いC型、石の成分が多いS型、表面が金属のM型です。日本の小惑星探査機「はやぶさ2」の目的地「リュウグウ」はC型、その前の「はやぶさ」の「イトカワ」はS型でした。

2023年10月、NASAが小惑星「プシケ」に向かう探査機を打ち上げました。プシケはM型の小惑星です。ジャガイモみたいな形をしていて一番長いところが280㎞とかなり大型。M型の小惑星は、地球のような岩石惑星が赤ちゃん時代に壊れて、中心の金属部分がむき出しになったものではないかと考えられています。つまりM型のプシケは、地球になりそこねた天体ともいえます。

さて、探査機は2029年にプシケに到着する予定です。事前の調査ではプシケには鉄やニッケルがたくさんありそうです。そして地球人は金属が大好き……ということで、早くも目がドル（$）マークになっている人たちも！ただし、ある程度の量を安全に地球に持ち帰るためには、高い技術と多くの人の理解や知恵、協力が不可欠です。私たちは、まずは宇宙探査の意義を知って、おたがいに協力して宇宙開発を進める力をみがくことが大切です。

スイーツがいっぱいの星はないのかな？

# 宇宙編

## ⭐7 ずっとずっと先の未来 月は動かなくなってしまう？

あらゆる場所から見えていた月が
決まった場所でしか見られない！？

# 月と地球の未来像は不思議な感じに

　月は空で太陽と同じくらい目立ちます。それもそのはず、月の見かけの大きさは太陽とほとんど同じ。本当は太陽の方が400倍も大きいのですが、月が400倍近くにあるためほぼ同じサイズに見えているのです。

　地球と月とのきょりはおよそ38万km。地球一周が4万kmですから38万kmは地球9周半、大人が歩き続けて11年かかるきょりです。そんな月ですが、実は1年に3.8cm、100年で約4mのペースで地球から遠ざかっています。ということは、反対に月が生まれたころの大昔は、10倍も大きく見えたともいわれています。

　さて、月は地球から自転のエネルギーをもらってはなれます。そのため少しずつ地球の自転は遅くなって、月ははなれながらゆっくり地球の周りをまわる（公転する）ようになります。このままいくと、月の公転周期（ひと月）は現在の30日から50日くらいまで長くなり、地球の1日も同じ50日で安定。その地球では、月が空の同じ場所でじっと動かないまま満ち欠けをくり返すきみょうな月の風景になります。

　でも、これは何十億年も先の計算上の話。実際には、その前に太陽の寿命がつきてしまうので、残念ながら未来の地球生命がその風景を楽しむことありませんが……もしも「たったいま月が遠くはなれたら?」別の計算によると、月は地球で重力が一番強いインド洋上空でカチンと止まって、そこで満ち欠けするようです。その不思議な世界では、月を見たことがない地球の反対側の人たちに、「インド洋月見ツアー」が人気になるかもしれませんね。

未来の日本でお月見はできないのか…

# 8

## 宝石がまるごと惑星に！
## ダイヤモンド星が存在する

なんてね

**宝石マニアにはたまらない！**
**価格の推定不可能なお宝に**

# 太陽の未来もダイヤモンド星に？

地球上の鉱物の中で最高の硬度をほこるダイヤモンド。無色で透明、うまくカットすれば高価なジュエリーになります。そんなダイヤモンドでできた星があったら、ちょっと見てみたい気がしませんか。

太陽のように自分でかがやく星を「恒星」といいます。恒星は、燃料の水素からヘリウムを作る核融合という方法でエネルギーを生み出してかがやいています。太陽も今、まさにそうやって私たちを照らしているところです。

さて、当然ながら燃料はいつか底をついてしまいます。太陽サイズの恒星は、水素がなくなると今度はヘリウムを使って核融合を始めます。ヘリウムの核融合では炭素ができるのですが、太陽くらいの重さの恒星はここで核融合がストップ。もうエネルギーを生み出せなくなって、自分の重みでつぶれて冷えるだけの天体になります。この状態の恒星は「白色矮星」といって、太陽の未来の姿です。白色矮星は地球サイズまでつぶれるのですが、もともと大きかったもの（※）がおそろしくぎゅうぎゅうに縮みますから、そのつぶれ具合はすさまじく、角砂糖1個分の重さはなんと1トン！

炭素に高い圧力をかけて冷やすとダイヤモンドになりますから、白色矮星の中でも炭素がギュウギュウになって最後に冷えればダイヤモンドができるでしょう。といっても、冷え切るには宇宙年齢より長い時間がかかりますから、直接確かめた人はまだいません。　※ 太陽の直径は地球の109倍、重さ（質量）は33万倍。

## ダイヤモンド星はもっとあるかも？

### 太陽より小さな天体でもダイヤモンドは見つかる？

ダイヤモンドが豊富な惑星がありそうだという研究結果が発表されています。かに座55番星eがそのひとつ。宇宙にはまだまだあるかもしれませんね。

## ⭐9

# 恒星が死を迎えると
# コンパクトな天体になる

**ジャンボ飛行機が凝縮されて
角砂糖なみの大きさに！**

# 恒星の最期がエグすぎる

前ページでは、白色矮星は太陽サイズの恒星が年をとってギュっとつぶれた状態だとしょうかいしました。私たちの太陽も恒星ですから、数十億年後には冷たく暗い、そして小さくて重い白色矮星になると考えられています。

一方で、太陽より8倍以上重い恒星の最期はもっと過激です。中心の炭素がさらに核融合をはじめて酸素、ちっ素、マグネシウム、ケイ素……と次々に新しい元素を生み出し、最期に「鉄」ができると核融合が止まります。恒星は、核融合でかがやくことで自分の体重を支えていますから、核融合が止まるとエネルギーを生み出せずに、自分で作った鉄の重みでグシャっとつぶれます。こうしてできたのが「中性子星」です。つぶれるときの大爆発を「超新星爆発」といいます。あまりに激しい爆発のため、もとの恒星がふきとんで、中心に直径20kmほどの中性子という原子を作るつぶのかたまりが残るのです。中性子星のギュウギュウ具合（密度）は期待を裏切りません。そのつぶれ具合は、直径20㎞の球に太陽系全体をつめこむようなもので、つぶれにつぶれて角砂糖1個分は、白色矮星のはるか上をいく5億トン。これは、たとえば大きなジャンボ飛行機を一列に地球5周分並べて、たった1つぶの角砂糖サイズにおしこめる、というもはや意味がわからないぎゅうぎゅう具合です。

最後にちょっと想像してみましょう。宇宙空間では音はしません。だからどんなに過激でヘビーな爆発だろうと、実際には「無音」でこっぱみじんです。

角砂糖1個って重力強すぎでしょ…

# ギ ★ 宇宙編

**10**

## 果てしない銀河系は
## ひと回りで2億年の広さ

**私たちがいる太陽系は
大きな銀河系のほんの一部**

# キミは宇宙をもうスピードで飛んでいる

地球は太陽の周りをまわっており、これを「公転」といいます。公転の道のりはおよそ9億km、公転スピードは時速10万kmです。みなさんは、今この瞬間も地球という大きな岩の乗り物に乗って、太陽の周りをもうスピードでまわっているのです。太陽の周りにはたくさんの天体（惑星、衛星、小惑星、すい星など）が太陽の重力に引かれて集まっています。この集団が「太陽系」。地球と同じように、太陽系のほかの仲間たちもそれぞれの公転軌道を、それぞれのペースでまわり続けています。

さて、太陽系はさらに大きな「銀河系（※）」の一員です。銀河系は太陽の仲間である恒星が1000億個以上集まる恒星の大集団です。つまり、私たちにとって一番明るくて特別な太陽も、銀河系にたくさんある恒星のひとつにすぎないのです。

銀河系は平べったいうずまきのような形をしています。太陽系は銀河の中心から2万6千光年のあたりにあって、やはり銀河中心の周りをまわっています。そのスピードはなんと時速86万km。みなさんは地球に乗って太陽の周りをまわっているだけでなく、銀河系の中も高速で旅しているのです。

銀河系のうずまきの広がりは、およそ10万光年。10万光年は、宇宙一速いという秒速30万kmの光でも、10万年かかる気の遠くなるような距離です。銀河系はあまりに大きいので、時速86万kmの太陽系でも一周するのに2億年以上かかります。太陽系は誕生から46億年ですから、今日までにようやく20周ほどまわったところでしょうか。

※ 天の川銀河ともいう。

いま宇宙を飛んでいるのか！イエイ！

85

# 宇宙編

★11

## ブラックホールの中では
## すべてがスパゲッティーに

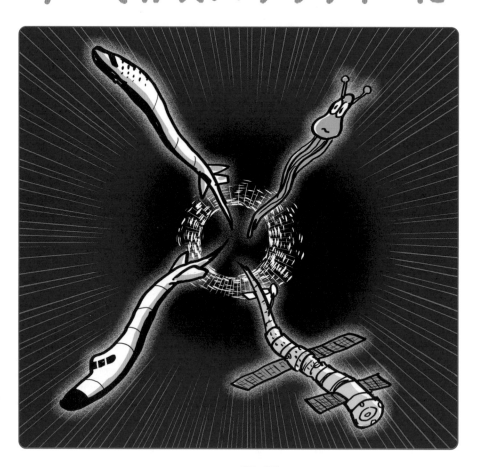

## あらゆるものが細長くなる？！
## ヘタなホラー映画よりこわい！

# ブラックホールはめん類がお好き

　ブラックホールはなんでも吸いこむ得体のしれないおそろしいモノ、と思っている人も多いかもしれません。たしかに宇宙の黒い穴（ホール）に吸いこまれたら……と想像するとこわくなってきます。しかしブラックホールは宇宙にぽっかりあいた穴ではなく、れっきとした天体です。

　天体には重力があって、そこから宇宙へ飛び出すには速いスピードで重力をふりきる必要があります。地球の場合、時速4万kmあれば宇宙に飛び出すことができますが（※）、ブラックホールの重力はとても強大。その近辺も異常に重力が強くなっていて、外に出たくても重力があまりに強いため宇宙最速の光でさえ飛び出せなくなってしまいます。一度入ったら、光さえ二度と出てくることができない……つまり、ブラックホールは見えない（ブラック）穴（ホール）のような天体、というわけです。

　ところで、天体を引きのばしてひしゃげさせる力を「潮汐力」といいます。ブラックホールは潮汐力も極端です。みなさんがうっかりブラックホールに近づいて、つま先を入れてしまったら、つま先はくるぶしより強く引きのばされ、くるぶしはひざより、ひざはおしりより、おしりは腰より……あっという間にみなさんの体はめんのように細長くなり、ついには引きちぎられてしまいます。これを「スパゲッティ化現象」といって、どんなに強いものでも細長くされてしまうのです。そんなめん類大好きのブラックホールが近くにやってきたらと考えると、きっと冷静じゃいられないはず。やっぱりちょっとブルっときますよね。

※ 脱出速度という。

めん類なら
ぜったい
パスタがいい！

# ギャ—宇宙編

## ★12

# 第二の地球は数限りない
# 知的生命がいる可能性も

## 水がある星であれば
## 生命が存在しているかも？

# 宇宙人、いる派？　いない派？

宇宙人はいるでしょうか？

地球生命の材料は、炭素、酸素、水素、ちっ素、カルシウム……。このうち水素以外は、恒星の核融合で生まれたものです。つまり、私たちの体の材料は、恒星が長い時間をかけてつくってきたものなのです。銀河系だけでも1000億個以上の恒星がありますから、宇宙にはあちこちに生命の材料があるはずです。だから天文学者の多くはこう考えています。「無数の恒星の周りをまわる無数の惑星の中には第二の地球があって、そこには生命がきっといる！」。最近は太陽系の外にも惑星がたくさん見つかっていて（※1）、中には地球に似た惑星もありそうですから、「第二の地球そして小さな生命体発見！」の日は近いかもしれません（※2）。

では、一歩進んで「文明を持つ知的生命はいる？」となると、どうでしょうか。地球のように生命があふれる惑星でも、文明を持っているのは人間だけです。しかも生命の進化は、地球の環境変化に合わせて自由に起きたようですから、たとえばきょうりゅうを絶滅させた巨大隕石が違う時代に落ちていたら、今ごろ人間はいなかったかもしれません。

そうはいっても、惑星が無数にあるならやっぱりどこかにいる気もしますよね。その生命はどんな姿でしょうか。人間に似ている？　やさしい？　攻撃的？　でも、たとえ知的な生命体（宇宙人）が同じ銀河系のわりと近くにいても、コンタクトするためにはおたがいの文明が滅ばずに長続きしていないといけませんね。地球人は……大丈夫？

※1 「系外惑星」という。2023年末で発見数は5500個以上。
※2 水が液体になれて生命がいても不思議ではないエリアを「ハビタブルゾーン」という。

宇宙人がいたら一緒にゲームしたいな！

# ★13

## 宇宙の95%は未解明
## 不思議な物質がいっぱい

### 始めと終わりが同じことを表す
### 「ウロボロスのへび」

## 宇宙の研究は、しっぽをくわえたヘビ？

みなさんの体は小さなつぶ（原子や原子を作る小さな材料）の集まりです。着ている服も、コップも、呼吸する空気も、空の太陽、遠い銀河も……全部そうです。でも、そうやって私たちが見たり調べたりできる「ふつうの物質」は、実は宇宙では少数派。宇宙が何でできているかくわしく調査すると、「ふつうの物質」は宇宙全体のたった5％しかないことがわかったのです。

「ふつう」じゃない、残りは何でしょうか？ 70％近くは宇宙をおし広げようとする未知の力だということがわかっています。目に見えない力で、「ダークエネルギー」と呼ばれています。

残りの25％は「ふつうの物質」とほとんど反応しないけれど重さがある物質で、やっぱり正体不明。こっちは「ダークマター（暗黒物質）」といわれています。ダークマターの正体は、まだ発見できていない素粒子（物質を作る一番小さいつぶ）ではないかと考えられています。正体不明だけれど、ダークマターのおかげで高速回転中の銀河から星が飛び出さず、銀河の集まりの「銀河団」から銀河が飛び出さずにいられるようなのです。

宇宙の95％の姿を知るために、いろんな角度から研究が進んでいます。きみょうなことに、研究者たちは「小さな素粒子の世界がわかると、大きな宇宙がわかる」と考えています。このループみたいな関係は、自分のしっぽをくわえた「ウロボロスのヘビ」に例えられます（※）。究極に大きい宇宙と、究極に小さい素粒子が深く関係しているなんておもしろいですね。

※ 1979年にノーベル賞を受賞した素粒子物理学者のシェルダン・L・グラショウ博士は、ウロボロスのヘビの図を使って素粒子の研究が宇宙の理解と深く関係があると示した。

小さなことから宇宙がわかるって不思議！

## ⭐14 ますますふくらんでいる 宇宙はいったいどうなる？

ナゾの力「ダークエネルギー」が
宇宙をどんどん広げている！

# なれの果てはすっからかんの宇宙？

　宇宙は138億年前にふくらみはじめたと考えられています。今も膨張は続いているのですが、研究者たちは、「膨張は宇宙が始まったときのビッグバン（※1）の勢いだから、だんだん減速していつかは縮みはじめる」と考えていました。

　ところが1997年、遠くはなれた超新星（※2）を観測していたところ、おどろきの大発見が！　宇宙は減速どころか「加速」していたのです。「ふくらむのが速くなっている」なんてだれも思っていなかったので、研究者たちはひっくりかえるほどおどろきました。徹底的に調べていくと、宇宙はどうやら60億年ほど前から加速膨張していることがわかりました。宇宙全体を膨らませるこの力こそが、前ページでしょうかいした「ダークエネルギー」。今も宇宙をふくらませ続けているナゾの力です。

　この先もずっとふくらみ続けると宇宙はどうなるでしょうか？　いろんな説があります。たとえば膨張のスピードがある限界をこえると銀河どうしが離れて、望遠鏡をじっとのぞいてもとなりの銀河が見えなくなります。そのうち銀河系の中でも星どうしが離れていくので、宇宙空間どこを見ても光ひとつない真っ暗闇になり、しまいには天体を形づくっている材料もバラバラに……。やがて宇宙には何もなく、何も起こらない、ただ広がり続けるだけの闇の空間になります。この説を「引きさく」という意味の「ビックリップ説」といいます。ここで今の地球を見てみましょう。色とりどりの生き物や風景——。なんだかちょっと違って見えてきませんか？

※1 宇宙が爆発的に膨張を始めたこと
※2 星が年老いた（進化した）果てに明るく爆発する現象で、この発見では最大の明るさが決まっているIa型超新星という種類を複数観察した。

風船みたいに爆発することはないよね？

# 宇宙編

## 15
## 新しい星座が登場！
## その名はへびつかい座

**さそり座といて座の間に
13番目の星座が追加される？**

# 死者まで生き返らせるスーパードクター

星座は、夜空の明るい星をつないで作る人類最大のイラスト。みなさんも見つけた星で自由に結んでいいのですが、世界中で共通に使えるものもあります。それが1928年に国際天文学連合が整理した、88個の星座とその境界線です。天文学ではこの境界線を天空の住所みたいにして研究に役立てています。

さて、太陽は一年かけて星座の前を通っていくように見えます。その道筋を「黄道」といって、お誕生日星座で人気の星座たちはこの黄道上の12の星座（黄道十二星座）です。一方、天文学で使う先ほどの星座の境界線を見ると、黄道には13個の星座が……！「へびつかい座」のエリアが、「さそり座」と「いて座」の間に少し入りこんでいるのです。1990年代後半、うらない師の間では13星座うらないがプチブームになったようですが、13という数字がきらわれたのか、ヘビ人気がイマイチだったのか、あまり広がらなかったようです。

へびつかい座は、医学の神様アスクレピオスの姿です。神話では、ヘビが薬草で傷を治すのを目撃したアスクレピオスが、やがて名医になったものの、あまりに名医すぎて亡くなった人まで生き返らせるため、困った死者の国の神と大神ゼウスがアスクレピオスの命をうばって天に上げた、という話がギリシャ神話にあります。

## アスクレピオスのつえがWHOのシンボルに

### ギリシャ神話の医学の神が世界の医学を見守る

かわいそうなアスクレピオスですが、国際連合の専門機関のひとつであるWHO（世界保健機関）の紋章には、彼のつえがシンボルマークとして使われています。

# ★16

## 星は自由に動くもの
## 近い未来、星座も変わる？

### 星の位置が変わってしまったら
### 星座の名前を変えなくちゃいけないかも？

# 新しい星座が生まれる可能性も

　星たち（恒星）はそれぞれバラバラに動いています。これを固有運動といいます。固有運動を発見したのは、ハレーすい星で有名なイギリスの天文学者エドモンド・ハレーです。1718年、ハレーは紀元前150年ごろのギリシャの天文学者ヒッパルコスの記録と比べて、いくつかの星の位置が変わっていることを見つけたのです。

　星たちは銀河系の中を2億年かけてぐるぐるまわっているとしょうかいしましたが、それぞれが少しずつちがうスピード、ちがう向きに動いているため、地球からの見かけの動きはばらばらです。ただし、星は遠くでかがやいているため、数十年という短い時間だと見かけの位置はほとんど変わりません。数千年、数万年たてば多くの星が今とちがうところまで動きます。特に動きが大きいのは、へびつかい座にあるバーナード星。この星は太陽系に2番目に近い恒星ですが（※）、こっちに近づく方向に動いているため、1万年後には太陽系に一番近い星としておどり出てきます。

　星座や星ならびも地球から見た「見かけのならび」ですから、星がバラバラに動くと星座や星のならび方もくずれます。たとえば、ひしゃくの形が特徴の「北斗七星」は、20万年後には向きがひっくりかえります。うしかい座の一等星アークトゥルスが動いてしまい、うしかいの姿は胴長に、七夕のおりひめ星（ベガ）とひこ星（アルタイル）は7万年後には永遠の別れになってしまうようです。ほかにもくずれていくとちゅうでおもしろい形ができあがるかもしれませんね。

※　現在、太陽に一番近い恒星は4.2光年先のプロキシマ・ケンタウリ。

新しい星座
見てみたいな！
ワクワクするね！

第2章　宇宙編

97

# 17

# 北極星はひとつじゃない？時代によって変わっていた

**北の空にある明るい星
実は動かない星が北極星だった**

# 地球は首ふりしながらまわっている

いつも北の空にある「北極星」は、北の方向がわかる便利な星です。北極星は、こぐま座にある2等星ポラリス。地球の自転軸を北にのばした先でかがやく明るい星です。

地球の自転は、ちょっとかたむいて回っているコマにたとえられます。回転するコマが軸をぶらしながら回るのを見たことがあるでしょうか。同じように、地球の自転軸も太陽や月、惑星の引力のえいきょうを受けながらゆっくりと円をえがくように首ふり運動をしているのです。これを「歳差運動」といいます。

軸先が動くので、じつは北極星にふさわしい星も変わっていきます。今はたまたま自転軸がポラリスの方を向いているため、ポラリスが北極星として重宝されているのです。歳差運動の周期は約2万6000年ですから、今ポラリスに向いている北側の軸先は歳差運動でゆっくりとポラリスからはなれていきます。そして1万2000年後の軸先には、七夕伝説のおりひめ星（こと座の1等星ベガ）。つまり、おりひめ星が北極星になるのです。反対に、今から5000年前のピラミッド時代には、りゅう座の3等星ツバンが北極星でした。軸先にいつも都合良く明るい星があるわけではないので、地球の歴史のほとんどの時代は北極星にふさわしい明るい星がないことになります。

歳差運動でその場所から見える星空も変わります。今から1万年以上前の縄文時代には、今の東京付近から南十字星が見えていたようです。南十字星は、現在の南半球を代表する星ならびです。

今は北極星が見られるレアな時代なのか

99

# ギャラ 宇 宙 編

★18

## 隕石はとつぜんやってくる
## 小惑星がしょうとつする日

いんせき

しょうわくせい　　　　　　　　　　　　　　ひ

巨大な隕石が地球に落ちると
大きな被害をおよぼすことも

きょだい　いんせき　ちきゅう　お

おお　　ひがい

# 巨大隕石が落ちる前にできることって？

もしも明日、地球に隕石が落ちるとしたら……。みなさんはどうしますか？隕石の多くは小惑星のかけらです。小さい隕石はよくあること、大きいのもごくたまに落ちます。たとえば、6600万年前のきょうりゅう絶滅は、直径10kmの巨大隕石の落下が原因だと考えられています。1908年には、シベリア上空で50mほどの隕石が爆発して20km四方が焼け野原に。2013年にはロシアのチェリャビンスク州に落ちて人にも被害がありました。

超巨大隕石が陸に落ちると、まき上がった砂やチリが太陽の光をさえぎるため「核の冬」のような状態になります。地球が寒冷化して、植物はかれ、動物たちは食べるものがなくなってしまいます。地球は7割が海ですが、海に落ちた巨大隕石は巨大津波になっておそってきます。

せめて被害を小さくするにはどうしたら良いでしょうか？まずはどんなサイズの小惑星がどれくらいあるのか調べて、危ない小惑星を早めにマークする必要があります。しょうとつを回避する方法を研究して、万が一のときはどうやってみなさんに知らせるか、どうやって安全に避難するか考えておくことも大切です。

天体しょうとつの問題をあつかう「プラネタリーディフェンス」という世界的な活動もあります。ただし、隕石は地球のどこに落ちるかわかりませんから、世界中の人と協力する必要があります。天体しょうとつは地球人全員の共通問題なのです。災害のひとつとして備えるなど、みなさんも身近なところできっとできることがありますよ。ぜひ考えてみましょう。

隕石が落ちる前に貯金箱かくさないと！

⭐19

# ガンマ線バーストの直撃で地球はかいめつするかも?

## ガンマ線バーストの威力は太陽の一生分のエネルギー!

## 悪魔のビームがこっちを向くと……

「ガンマ線バースト」は宇宙で最大級の爆発現象（※）です。そのエネルギーはすさまじく、太陽の一生分のエネルギーをたった10秒程度で出しきってしまうほどです。ガンマ線バーストの一部は、太陽よりずっと重たい恒星の超新星爆発と関係がありそうです。どうやら自転軸の方向だけに出しているもうれつなガンマ線ビームが、たまたまこっちを向いていると観測できるようなのです。

遠い星のガンマ線バーストなら危険はありません。しかし、同じ銀河系の中で、しかも運悪くビームがこっち向きだと大変です。ド迫力のガンマ線ビームは、地球のオゾン層を破壊、そこから有害な紫外線が降り注いで生命のDNAを破壊するでしょう。2022年には、20億光年かなたの宇宙から飛んできたビームが地球をかすめました。もしこれが近距離直撃ビームだったら……地球はかいめつしていたかもしれません。地球の寒冷化も起きると考えられていて、昔の大量絶滅のひとつは、近くからのガンマ線バースト直撃が原因だったかもしれないという研究もあります。

超新星爆発の頻度は、銀河系の中で100年に1回くらいです。そのうちたった1％だけがこっち向きの悪魔のビームだとしても、地球の歴史46億年なら、なんと46万回……。私たちの地球は、もしかしたら過酷なガンマ線ビームをたくさん浴びてきた惑星なのかもしれません。ちなみに近い将来に超新星爆発を起こしそうな近い恒星たちを調べると、さいわいビームの軸はこっちを向いていないようです。ちょっと安心！

※「ガンマ線」はレントゲンで使うX線よりさらに高エネルギーの光の仲間（電磁波）。

第2章 宇宙編

かっこいい名前だけどこわいビームだね…

103

# ギャー宇宙編

## 20 そばで超新星爆発が起きたら？ 右かたを失ったオリオン座

ベテルギウスの爆発を
天文学者たちが待ちかねている？

# 世紀の天体ショーはもうすぐ？

「ベテルギウスはいつ爆発するの？」とよくたずねられます。

　ベテルギウスは、オリオン座の狩人オリオンの右かたにある、明るくて赤っぽい星。恒星の赤色は死期が近づいてきたサインです。2019年秋から2020年にかけて、ベテルギウスが1等星から2等星まで暗くなった時には、世界中が「いよいよか!?」とザワつきました。その後、何ごともなかったように明るさをとりもどしたベテルギウス。最近の研究では、爆発は「もうすぐ」だけれど、数万年後ともいわれます。天文学者の「もうすぐ」は文字どおりケタはずれです。

　鎌倉時代の歌人、藤原定家の日記『明月記』には、超新星の記録があります。たとえば「1054年、おうし座に木星ほどの明るい星が現れた」とあります。今この場所には、「かに星雲」という超新星爆発のざんがいガスが見えています。

　ベテルギウスが爆発するとどうなるでしょう？　ベテルギウスの軸は地球に向いていないので、前ページでしょうかいしたガンマ線バーストのえいきょうはなさそうです。超新星爆発が近くで起きれば生命に危険な高エネルギーの粒子が飛んできますが、ベテルギウスは500光年の遠さなので、こちらも心配なし。天文学者たちは、じっくり超新星爆発を観察できるとあって、ベテルギウスの最期の雄姿を心待ちにしています。爆発すると、しばらく半月くらいの明るさでかがやく予想ですから、大勢で楽しめるエキサイティングな天体ショーになることまちがいなしです。

星座の形が変わるなんて見てみたい！

⭐21

# 地球が氷の星になる日
# 全球凍結は起きるのか?

## 地球はこれまでに3回
## 「氷の惑星」になっていた!

# 海までこおる！ フローズン地球のなぞ

みなさんが思いうかべる地球は、どんな姿ですか？ 地球は「青い惑星」「水の惑星」「命の惑星」などと表現されることがあります。地球には大気と水があり、たくさんの生き物がいる、宇宙でまれに見るおだやかな環境の惑星です。

そんな地球にも、過去には全体が完全にこおりつく冷たい「氷の惑星」時代がありました。それは赤道までマイナス40℃になる氷の世界。よく知られる「氷河期」とは段ちがいで、海までこおったため「全面凍結（スノーボールアース）」と呼ばれます。全面凍結は、今から22億年前、7億年前、6億年前の少なくとも3回起きたと考えられています。

天体はいったんこおると、ぴかぴか光って太陽の光を照り返すため、なかなか温まらないものです。ところが地球は活発な惑星ですから、①火山活動で二酸化炭素が増え、②温室効果で氷が溶け、③勢いでいったん高温になったものの、④氷がなくなった海に二酸化炭素がいい感じにとけて減り……穏やかな温度にもどったようなのです。

さて、生き物たちは氷の地球でどうやって生きのびたのでしょう？ 「海の底は凍らなかった」「火山の近くはセーフだった」などの理由が考えられます。それどころか、6億年前の全面凍結は生物が爆発的に増えた「カンブリア爆発」につながったとする研究もあります。全面凍結をきっかけに進化がさらに進むとは、生命は本当にたくましいですね。さいわい、今の太陽は当時より明るくなったため、全面凍結はもう起きないと考えられています。

地球がこおったらかき氷食べ放題？

# ギャー宇宙編

★22

## 大規模な太陽フレアが
## 人間社会を破壊する！

**太陽フレアはときどき
地球に大きなえいきょうをあたえる**

# 太陽が荒れくるうXデー

1989年、カナダのケベック州で大停電が起きました。停電は9時間も続いて600万人の生活がストップ。復興には数カ月かかりました。

大停電の犯人は……なんと太陽！　太陽の表面で起きた爆発・太陽フレアが地球をおそったのです。太陽は約11年周期で活発になったり静かになったりしています。活発になると表面にシミのような「黒点」が増え、時おりその黒点付近で太陽フレアが起きて、高エネルギーの電磁波や粒子が飛び出します。中でも電気を帯びた粒子（太陽風）が地球にたくさんやってくると、美しいオーロラを見せてくれます。

一方で困ったことも。電気を使う社会では、大規模な太陽フレアは地上で異常な大電流を流して火災や停電の原因にもなるのです。カナダの大停電では、地上だけでなく人工衛星の通信にも不具合が出ました。

今もし荒れくるう太陽風が地球をおそったらどうなるでしょう？　飛行機などの輸送はマヒし、食糧が入手困難になり、スマホやパソコンが使えないので病院や銀行、発電所、ほとんどの機能がストップして大災害になるかもしれません。実はすでに2012年7月には人類史上最大級の太陽フレアが起きています。危険な粒子を真正面で受けたら文明がほうかいしたかもしれない危機でしたが、さいわいこの時は地球を直撃せずに、危険な粒子群は地球のそばをかすめていきました。

最近の研究では、この1000倍の威力の「スーパーフレア」が発生する可能性も指摘されています。私たち人間は、身近な太陽のことをもっとよく知る必要があるのです。

スマホが見られないのはこまるなぁ…

# ⭐23 大きな磁石・地球
# 磁場がみんなを守ってくれる

私たちは知らないうちに
磁場のシールドで守られていた！

# 命の防御シールドが消える日

地球は大きな磁石です。方位磁石（磁気コンパス）を平らなところに置くと、赤いNの針が北を指しますね。これは地球の北極方向にS極があるということです。地球の磁石の力は、中心の「核」で液体の金属が動くことで生まれると考えられていて、地球が作る磁石の空間を「地磁気」といいます。わたり鳥の一部は、地磁気を感じとる自前のセンサーを持っていて、それをうまく使いながら長きょりの移動をするようです。また、地磁気は宇宙からやってくる高エネルギー粒子（宇宙線）をカットしてくれますから、みなさんは見えないシールドで毎日がっちり守ってもらっているといえます。

そんな地球の「S極やN極」は、実は自転軸の「北極点や南極点」とはズレていて、少しずつ変化もしています。ふだんの地磁気の変化は目に見えないほど小さいのですが、地球の長い歴史では、数万〜数十万年ごとにS極とN極が何度も「逆転」してきたことがわかっています。

運悪く地磁気の逆転タイミングに出くわしてしまったら……。弱くなった地磁気のすきまから危険な宇宙線がたくさん降ってきますから、少なくとも地球の生物のDNAは簡単に壊されてしまう可能性があるでしょう。しっかりした磁場があるのは太陽系の岩石惑星では地球だけ。そう考えると、私たちは幸運な住人であると同時に、地球はやっぱりスペシャルな惑星かもしれませんね。

## S極とN極が逆転した証拠「チバニアン」

### 地磁気の変化の様子が地層に残されていた

いちばん最近に逆転した77万年前の様子は、千葉県市原市の地層「チバニアン」に残っています。逆転の前後には地磁気が弱くなったあともみられました。

111

## ★24

# 巨大分子雲とのそうぐう
# 地球に何かが起こる？

写真：SPECULOOS Team/E. Jehin/ESO

## 宇宙空間に広がる星間物質
## 濃い部分が分子雲といわれている

# 宇宙の雲が地球を冷やす？

宇宙空間は「がらんどう」ではありません。うすいガスや、少しのチリといった「星間物質」が広がっているのです。ただし、ふだんは太陽風（高温で電気を帯びた粒子の流れ）のバリアが星間物質をおしのけて太陽系内を守っています。

星間物質のこさは場所によってムラがあります。特にこいところを「分子雲」といい、分子雲の中でもさらにガスがこいところは、「星のゆりかご」と呼ばれる恒星が生まれる場所になります。私たちの太陽も46億年前にこうしたこい雲の中で誕生したと考えられています。

分子雲は銀河系の円盤部分に多くあります。太陽系は銀河系を2億年で一周するとしょうかいしましたが、実は上下の動きもあって、円盤のこいところを上下に通りぬけながらまわっています。ということは、太陽系が円盤を通るときに分子雲にそうぐうする可能性があります。

分子雲に出会ってしまうと何が起きるでしょうか？　ある計算によると、相手が巨大分子雲だとガスやチリが太陽風のバリアを突破してくるようです。特にチリは地球の大気にたまって太陽の光をさえぎるため、地球の表面を冷やします。過去にあった地球の全球凍結や生物大絶滅の一部は、巨大分子雲とのそうぐうが引き金だったかもしれないといいます。

研究者の多くは、昔より太陽が明るくなっているから巨大分子雲が来ても大丈夫と考えているようです。とはいえ、人類が宇宙を観察するようになってまだ数百年。想定外の巨大分子雲に出くわす可能性もゼロではありません。

宇宙には星があるだけじゃないんだね！

# ☆25

# 赤色巨星化する太陽！
# いずれ地球も飲み込まれる？

巨大化する太陽のせいで
草木はかれ、海は熱湯に……

# 地球はアウト？　それともセーフ？

太陽も年をとります。これを進化といいます。

前ページで少ししょうかいしたように、太陽のような恒星は、宇宙にあるガスから生まれます。ガスの主成分は水素。恒星はその水素を核融合でヘリウムに変えてエネルギーを生み出してかがやくことで、つぶれずに球を保っています。この状態は、恒星の一生の中でも一番安定している時代。太陽は今まさにこの段階です。

さて、燃料の水素もいつかはなくなります。そのころになると、恒星は中心にできたヘリウムの外側で残り火がくすぶって、星全体がブヨブヨとふくれ、星の表面の温度は下がって「赤色巨星」になります。

太陽が赤色巨星になると、今の200倍くらいまでブクブクと巨大化します。その後、中心のヘリウムの核融合が始まるためいったん縮みますが、ヘリウムを使い果たすとやっぱり200倍までブクブク。

最初にふくらむとちゅうで、太陽に近い水星と金星ははやばやとのみこまれるでしょう。地球はというと、公転軌道がちょうど200倍のあたり。アウトか？　セーフか？　……ぎりぎりです。一説では太陽はガスを出しつづけて体重が軽くなり、そのぶん地球の軌道が外側にずれるからからのみこまれない（セーフ！）とも。とはいえ、赤いブヨブヨ太陽が、今より1000倍の明るさで何度もせまってきますから、どのみち地球の大気はふきとび、海は干上がってしまうでしょう。これは50億年先の話。太陽の寿命は100億年で、太陽は今ちょうど中年です。

こわいけど50億年先の話かぁ～

115

## ★26

# 未知の生命やウイルスが太陽系の外から飛来する?

**きみょうな天体がもうスピードで太陽系を通りぬけていった!**

# 宇宙から未知のウイルスが拡散？

2017年、風変わりな天体が発見されました。

その天体はどうやら太陽系の外からやってきたようです。なんだか長細い棒みたいな形で、少し回転しているようにも見えました。秒速87kmというもうスピードで通過していったその天体は、形や動きがあまりにきみょうに見えたため「エイリアンの乗り物だ！」と言う人もいたくらいです。

その後の調査で、長細いというよりは直径数10mから100m程度の、円盤に近い形だったと考えられるようになりました。この天体は「オウムアムア」と名づけられました。オウムアムアは二度ともどってこないので多くはわからずじまい。どこからやってきたのか、どうしてやってきたのか……いろんな説がありますが、4億年くらい前に遠い惑星系から宇宙空間に飛び出した惑星のかけらだったのではないかとも考えられています。

オウムアムアのような「恒星間天体」はレアものだと思われましたが、なんとその2年後にも別の天体が高速で太陽系を通りぬけました。この時はすい星と同じくガスを噴出しており、その観測から天体の成分が太陽系とは少しちがうところがありそうだ、ということがわかりました。

恒星間天体は意外に多いのかもしれませんが、多ければ地球にぶつかる確率も上がります。恒星間天体には遠い惑星で生まれた生命のかけらや、未知のウイルスが乗っているかもしれません。宇宙を旅する未知のウイルスとは、ちょっと気味が悪い気もしますが、地球生命の祖先もそうやって宇宙を旅してきたのかもしれません。これをパンスペルミア説といいます。

きっと宇宙人が乗っているに違いないよ！

# ★27

宇宙も地球と同じ！
起こりうる人工衛星の事故

宇宙にも交通マナーが必要？
国どうしのケンカになる可能性も

# ゴミどうしが自己増殖する悪夢

人類が初めて人工衛星を打ち上げたのは1957年（※）。年々、世界の打ち上げ数は増え続けて2020年は2300機以上。その多くは、みなさんの生活を支える通信衛星や気象衛星です。

一方で宇宙空間にはこわれたり運用が終わったりした人工衛星や、そのかけらもたくさん残っています。これらを「宇宙ゴミ（スペースデブリ）」といいます。2020年の時点で、宇宙ゴミは数ミリくらいのものをふくめると1億個以上あるとされます。

宇宙ゴミはとても困った問題です。宇宙ゴミのスピードは、ピストルのたまのなんと10倍以上！　金属のかたまりが高速で飛ぶのですから、ぶつかれば遊泳中の宇宙飛行士は命とり、人工衛星もこわれるおそれがあります。

宇宙での交通事故も起きやすくなっています。2009年にはアメリカの人工衛星と、運用を終えたロシアの人工衛星がぶつかってしまいました。これは意図しない事故でしたが、わざとしょうとつ実験をする人たちも出たりして、国際的な非難をあびたこともあります。

人類の未来のために、宇宙開発は大切な分野です。しかし、宇宙ゴミや人工衛星どうしが宇宙でしょうとつすれば、さらに大量の宇宙ゴミが生まれてしまいます。

今ようやく宇宙ゴミを回収したり減らしたりする取り組みが始まったところです。宇宙空間をどう活用していくのか、私たちはよく考えて開発を進める必要があるのです。

※ 旧ソビエト連邦が打ち上げたスプートニク1号。

きれいな宇宙をよごすなんて許せない！

119

ギャー宇宙編

# ★28 コンパクト天体が引き起こす考えたくない未来

もしブラックホールがやってきたら
みんな細長くなって吸いこまれる！

# ヘビー級の重力で太陽系が大混乱！？

P82で恒星がギュウギュウに小さくつぶれた「コンパクト天体」をしょうかいしました。白色矮星や中性子星のほか、ブラックホールもコンパクト天体の仲間です。そんなコンパクト天体が、もしも人知れず地球に近づいてきたら……？

人間は小惑星の接近に将来手を打てるようになるかもしれませんが、コンパクト天体はさすがにお手上げかもしれません。やってくるのがブラックホールなら、地球はなすすべなくめん類のようになって、見えない特異点（※）へと引きずりこまれるでしょう。運良く丸のみをのがれたとしても、コンパクト天体はきょうれつな重力で惑星の軌道をゆがませますから、太陽系に近づくだけで大変です。木星の軌道が地球側にずれこめば、空いっぱいにシマシマもようの巨大な木星が浮かび、そのうち木星に引きずりこまれるかもしれません。地球環境が安定しているためには、地球が軸をちょっとかたむけたまま、太陽の周りをほぼ円軌道で安定してまわることが大切です。地球の軌道がゆがんだり自転軸がブレたりすれば、環境が激変して生命は死に絶えてしまうでしょう。

過去46億年間にはそんな大事件はなかったようですが、将来もそうとは限りません。というのも、銀河系には孤立したコンパクト天体がいくつもありそうなのです。彼らも同じように銀河の中を回転していますから、おたがいに近づく可能性は低いものの、ゼロではありません。残念ながら私たちにできることは、迷子のコンパクト天体が近くにやってこないことを願うことくらい……。

※ ブラックホールの中心にあるとても重い点。光でも脱出できない境目より中に入ったものはすべてこの特異点に吸いこまれる。

ひょっとしてブラックホールって最強…？

### ★29

# 人工の光がじゃまをする？
# 見えなくなる天の川

## 街の明かりがなくなれば
## 家の庭から天体観測ができるかも？

# 明るすぎる光でメンタル不調に

日本7割、アメリカ8割、ヨーロッパ6割――。いったい何の割合でしょう？　これは「天の川が見えない地域に住む人」の割合です。星が見えづらい最大の原因は、照明。照明は人の生活になくてはならないものですが、必要のない場所まで明るく照らしていることも多いのです。そして照らす必要のない夜空にも人工の光がもれた結果、あわい光の集まりである天の川を見たことがない人も増えました。

照明の使い方で起きる悪えいきょうを、「光害」といいます。光害は夜空だけではありません。たとえばウミガメの赤ちゃんは明るい方へ向かう習性があるため、街の照明につられて海と反対方向へ行ってしまうことがあります。野鳥やホタル、いろんな植物が光をたよりに何らかのリズムをもっていますから、生態系が深刻なダメージを受けることがあるのです。

悪えいきょうは光を出す私たちにも。ネオン看板、サーチライトといった強い光や、スマホから出るブルーライトは、体内バランスをくずして不眠やイライラ、注意散漫などメンタル面にえいきょうが出るといわれます。人間も五感で自然を感じてバランスをとっている地球生命体なのです。たかが天の川、と笑うのはちょっと危険かもしれません。

エネルギー面でも問題があります。必要以上の光はエネルギーの浪費です。人や動植物が、より良い環境で暮らすためのちょうど良い「明るさ」「向き」「時間帯」――。まだまだ知られていませんが、私たちはそろそろ光害について真剣に考える時期にきています。

明るければいいってわけじゃないんだね！

123

# ★30

## 宇宙に浮かぶ小さな岩 それが私たちが住む地球

提供：/NASA/Heritage Image/アフロ

## 宇宙に比べたら小さいけど それでも地球はめぐまれた星

# 私たちは人間で地球人

その写真の名前は「太陽系家族写真」。1990年、太陽系探査機ボイジャー1号が60億kmのかなたから何枚かさつえいした、太陽系の写真です。そのうちの1枚は一見すると暗い宇宙空間の写真。でもよく見ると、青白くてとても小さな点がうかんでいます(※)。これが、宇宙に浮かぶ私たちの地球の姿です。地球は銀河系を2億年でまわりながら、ときに巨大地震や火山噴火を起こし、地磁気が逆転し、全体が真っ白にこおりつき、巨大隕石におそわれることもありました。46億年間の地球環境は決しておだやかではなく、環境はこれからもいろんな要因で変わっていくことでしょう。

一方で地球は太陽から良いきょりにいて、良いサイズの月がいて、安定した自転軸で自転し、安定した円軌道で公転しています。そのおかげで金星のようにしゃくねつ地獄になることも火星のように大気がにげることもなく、何百万種もの生命の声がひびくにぎやかな惑星でいられます。地球は宇宙でまれに見るめぐまれた惑星なのです。

知ってのとおり、地球では人間が繁栄しています。人間は少しケンカっぱやいところもありますが、知恵があって助け合うことができる生き物です。協力すれば地球規模の困難も乗りこえることができるでしょう。みなさんも、その一員です。宇宙という大きなスケールで、こわいところも美しいところも知ることで視野がぐんと広がって、自分たちが地球人であることや、今日という日がどれほど奇跡的かということにも、あらためて気づいてもらえたらと思います。

※ この写真は「ペイル・ブルー・ドット」と呼ばれます。

なんだか地球っていう星を見直したよ

いかがでしたか?

地球のこわい話は、みんなの考え方次第で
いくらでも変わります。

宇宙のこわい話は、研究が進むにつれ、
すてきな話に変わる可能性があります。

その楽しみを忘れずに、
これから考えていきましょう。

制作スタッフ

監修補助（地球編）／河村幸子

執　筆／野田祥代、松本晋平

イラスト／オオタヤスシ、岡本倫幸

装丁・本文デザイン／杉本龍一郎（開発社）、太田俊宏（開発社）

企画・構成・編集／大槻和洋（開発社）

編　集／高橋大地（株式会社カンゼン）

写　真／アフロ、アマナイメージズ、PIXTA

# 参考資料

『空気がなくなる日』（ポプラ社）岩倉政治 著
『眠れなくなるほど面白い 図解 宇宙の話』（日本文芸社）渡部潤一 監修
『面白いほど宇宙がわかる15の言の葉』（小学館） 渡部潤一 著
『テクニカルノート「全地球凍結と巨大分子雲」』 薮下信 著

農林水産省『農業分野における気候変動・地球温暖化対策について』
農林水産省『農業生産における気候変動適応ガイド』
環境省『令和4年度 温泉利用状況』
資源エネルギー庁『令和4年度エネルギーに関する年次報告（エネルギー白書2023）』
環境省『2021年度温室効果ガス排出・吸収量（確報値）概要』
農林水産省『世界のかんがいの多様性 持続的な水使用と健全な水循環の形成に向けて』
国土交通省『令和5年版 日本の水資源の現況について』
ユニセフ『世界子供白書 2023』
環境省『令和3年度土壌汚染対策法の施行状況及び土壌汚染調査・対策事例等に関する調査結果について』
国連食糧農業機関『世界森林資源評価（FRA）』
水産庁『令和4年度 水産白書』
環境省『令和4年版 環境白書』
環境省『令和5年版 環境・循環型社会・生物多様性白書』
林野庁『令和4年度 森林・林業白書』

日本ユニセフ協会「SDGs CLUB」https://www.unicef.or.jp/kodomo/sdgs/
日本財団「小学生SDGsジャーナル」https://www.nippon-foundation.or.jp/journal/issue/sdgs
Gakken「学研キッズネット」https://kids.gakken.co.jp/
LINEヤフー「Yahoo!きっず」https://kids.yahoo.co.jp/
農林水産省「こどもそうだん」https://www.maff.go.jp/j/heya/kodomo_sodan/index.html
文部科学省・地震調査研究推進本部事務局「地震キッズ探検隊」https://www.kids.jishin.go.jp/index.html
環境省「ecojin エコジン」https://www.env.go.jp/guide/info/ecojin/index.html
環境省「自然環境・生物多様性」https://www.env.go.jp/nature/

環境省「我が国の食品ロスの発生量の推計値（令和3年度）の公表について」／環境省「食品ロスポータルサイト」／農林水産省「「食生活・ライフスタイル調査～令和3年度～」の結果公表について」／消費者庁「食品ロスについて知る・学ぶ」／新潟県「気候変動による新潟県への影響　データ集」／厚生労働省『新型コロナウイルス感染症に係わる世界の状況報告』（2023年4月20日）／日本ユネスコ協会連盟「世界遺産活動・未来遺産運動」／環境省「地球環境・国際環境協力」／国立環境研究所「気候変動の影響への適応に向けた将来展望」／北海道「北海道秋さけ漁獲速報（旬報）」／環境省 自然環境局「日本の外来種対策」／気象庁「過去に発生した火山災害」／国土技術研究センター「世界有数の火山国、日本」／全国地球温暖化防止活動推進センター「温暖化を知る」／環境省「地球温暖化対策」／国立環境研究所「日本の温室効果ガス排出量データ」／気象庁「世界の過去および将来の海面水位変化」／環境省「なんきょくキッズ」／長崎大学核兵器廃絶研究センター『世界の核弾頭データ 2023年版』／国際平和拠点ひろしま「核兵器のない世界へ向けて（ひろしまレポート2021年版小冊子）」／内閣府「防災情報のページ」／環境省「大気環境・自動車対策」／IUCN「絶滅危惧種レッドリスト」／WWF「資料室」／気象庁「海洋酸性化の知識」／環境省「砂漠化対策」／水産庁「藻場・干潟・サンゴ礁の保全」／環境省「レッドリスト・レッドデータブック」／環境省「里海ネット」／環境省「海洋生物多様性保全戦略」／環境省「生物多様性保全上重要な里地里山」

# 50年後の
# 地球と宇宙のこわい話

**発行日** 2024年4月17日　初版

**監　修**　朝岡幸彦／渡部潤一

**装丁者**　杉本龍一郎（開発社）

**発行人**　坪井義哉

**発行所**　株式会社カンゼン

〒101-0021

東京都千代田区外神田2-7-1 開花ビル

TEL　　03 (5295) 7723

FAX　　03 (5295) 7725

URL　　https://www.kanzen/jp

郵便振替　00150-7-130339

印刷・製本　株式会社シナノ